ULLI BÖGERSHAUSEN

Deutsche Volkslieder für Fingerstyle Guitar

ACOUSTIC MUSIC BOOKS

AMB 3166

Acoustic Music Books, Wilhelmshaven · www.acoustic-music-books.de

Inhaltsverzeichnis

Vorwort

Seit Jahren beschäftige ich mich intensiv mit dem Arrangieren deutscher Volkslieder. Bei meiner Suche ließ ich mich von der Schönheit und Tiefe der Melodien leiten, die auf wundersame Weise mit der Poesie der Texte harmonieren. Meistens geht es um (unerfüllte) Liebe, Sehnsucht, Tod – die großen Themen. Nun ist eine feine Auswahl von 20 Titeln beisammen, die ich bis auf ein oder zwei Ausnahmen schon seit meiner Kindheit kenne.

Johann Gottfried Herder hat 1770 den Begriff Volkslied geprägt und angemerkt, wie schade es wäre, wenn diese Lieder verloren gingen. Damit löste er einen wahren Boom von Volksliedsammlungen aus, die bekannteste und heute noch benutzte ist der „Deutsche Liederhort", herausgegeben vom königlich-preußischen Musikdirektor Ludwig Erk 1856. Ein wahrer Hansdampf in allen Gassen und gewissermaßen Gegenspieler von Erk in der ersten Hälfte des 19. Jahrhunderts war Anton Wilhelm von Zuccalmaglio (1803-1869). Er nannte sich auch Wilhelm von Wäldbröl nach seiner Geburtsstadt im Bergischen Land. Zuccalmaglio sammelte nicht nur, er komponierte auch und ja, er komponierte auch bereits bestehende Lieder um und veränderte die Texte. In der Szene hat er sich damit wenig beliebt gemacht. So hat zum Beispiel der zuvor zitierte Herr Erk über Zuccalmaglio geschrieben, dass niemand außer ihm selbst seine Lieder kenne. Zuccalmaglio nahm beispielsweise einen Text aus dem heutigen Tschechien, mit dem Titel „Ay Annle du so'st ni boeves gien", übertrug ihn in's Hochdeutsche, tauschte Annle gegen Feinsliebchen und änderte noch so manches weitere Detail. Dann suchte er eine Melodie, die er im Westfälischen fand und bearbeitete den Text ein weiteres Mal, so dass er zur Melodie passte. Am Ende wurde „Feinsliebchen, du sollst mir nicht barfuß geh'n" daraus.
Kein Geringerer als Johannes Brahms, machte Zuccalmaglios Lieder gegen Ende des 19. Jahrhundert salonfähig. Er komponierte zu den bis dato einstimmigen Liedern Klavierbegleitungen. Brahms war von den kreativen Fähigkeiten Zuccalmaglios offensichtlich sehr begeistert, die Sammlung des „Liederhorts" hingegen bezeichnete er als dümmlich.

Wie gewohnt habe ich die Lieder so arrangiert, dass die Melodie deutlich über der Bassbegleitung und der Mittelstimme liegt. Bestimmte Tonarten eignen sich für ein Gitarrenarrangement besonders gut (G-Dur, a-Moll). In G-Dur ist die dominante Harmonie D-Dur. Um ihr einen wuchtigen Bass zukommen zu lassen, benutze ich häufig die Dropped-D Stimmung; die Tiefe E-Saite wird dabei um einen Ton tiefer gestimmt auf D. Den Kapodaster bitte ich ganz nach Geschmack einzusetzen. Ich habe so lange herumprobiert, bis mir der Klang eines Stückes am besten gefiel.

Nun aber viel Spaß und gutes Gelingen wünscht

Ulli Bögershausen

Impressum
Coverfoto und Fotos außer Seite 14, 20, 24, 44-45, 50-51: *Manfred Pollert*
Coverdesign: *Manfred Pollert*
Foto Ulli Bögershausen, Umschlagrückseite: *Manfred Pollert*
Idee, Texte und Notensatz: *Ulli Bögershausen*
Lektorat und Produktion: *Gerd Kratzat, Jule Kratzat*

Bestell-Nr. AMB 3166
ISBN 978-3-86947--366-6
ISMN 979-0-50247-166-8
www.acoustic-music-books.de

1. Dat du min Leevsten büst

Melodie: Volkslied (15. Jahrhundert), Bearbeitung: Ulli Bögershausen
Text: Traditionell (15. Jahrhundert)

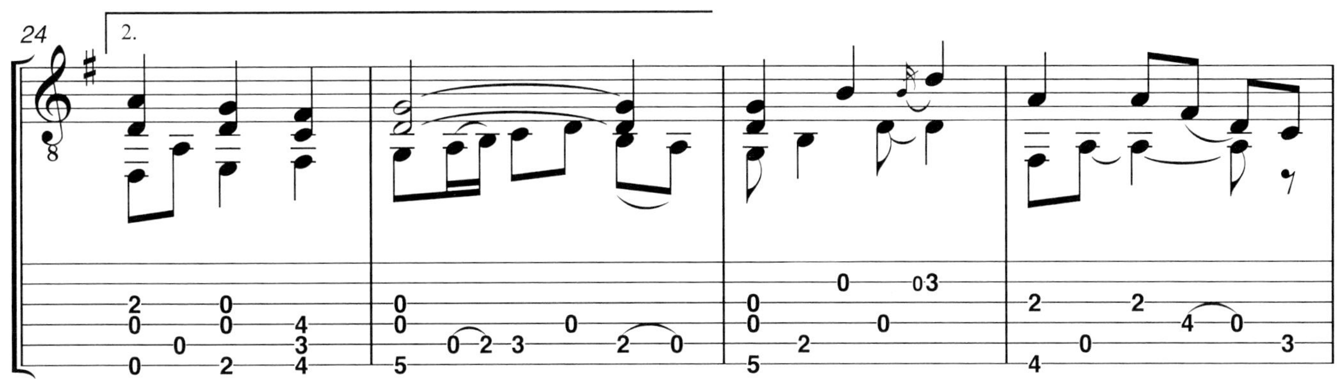

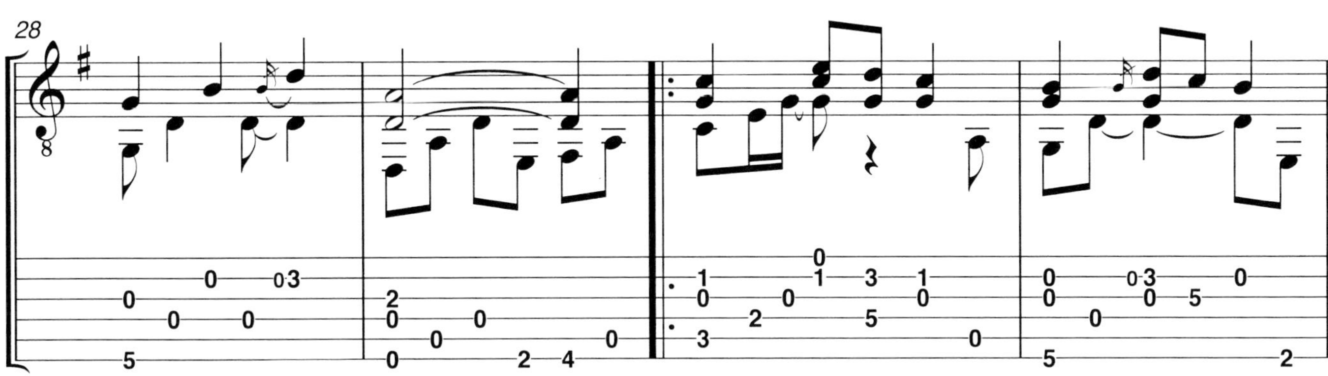

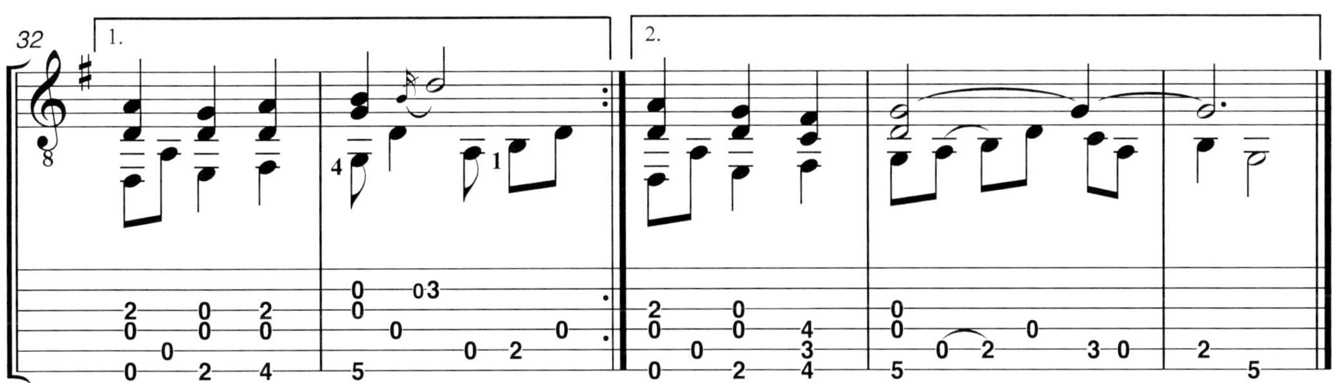

Dat du min Leevsten büst, dat du woll weeßt.
Kumm bi de Nacht, kumm bi de Nacht, segg, wo du heeßt.
Kumm bi de Nacht, kumm bi de Nacht, segg, wo du heeßt.

Kumm du um Middernacht, kumm du Klock een!
Vader slöpt, Moder slöpt, ick slap alleen.
Vader slöpt, Moder slöpt, ick slap alleen.

Klopp an de Kammerdör, fat an de Klink.
Vader meent, Moder meent, dat deit de Wind.
Vader meent, Moder meent, dat deit de Wind.

Kumm denn de Morgenstund, kreiht de ol Hahn.
Leevster min, Leevster min, denn mößt du gahn.
Leevster min, Leevster min, denn mößt du gahn.

2. Es waren zwei Königskinder

Melodie: Volkslied (15. Jahrhundert), Bearbeitung: Ulli Bögershausen
Text: Traditionell (Anfang des 19. Jahrhunderts)

Dropped D Tuning, Capo II

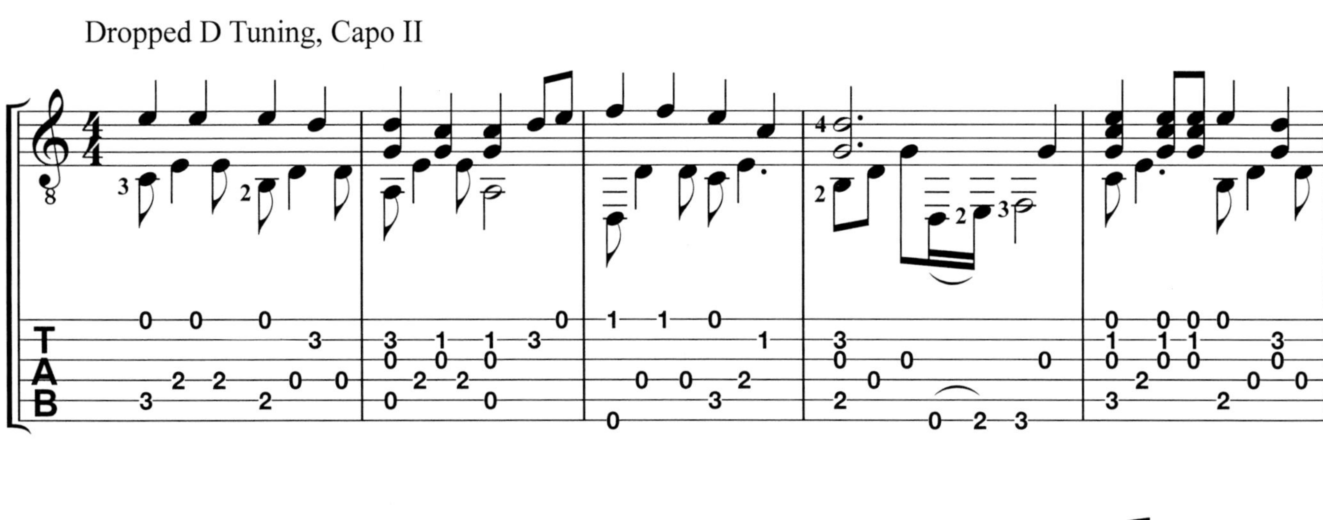

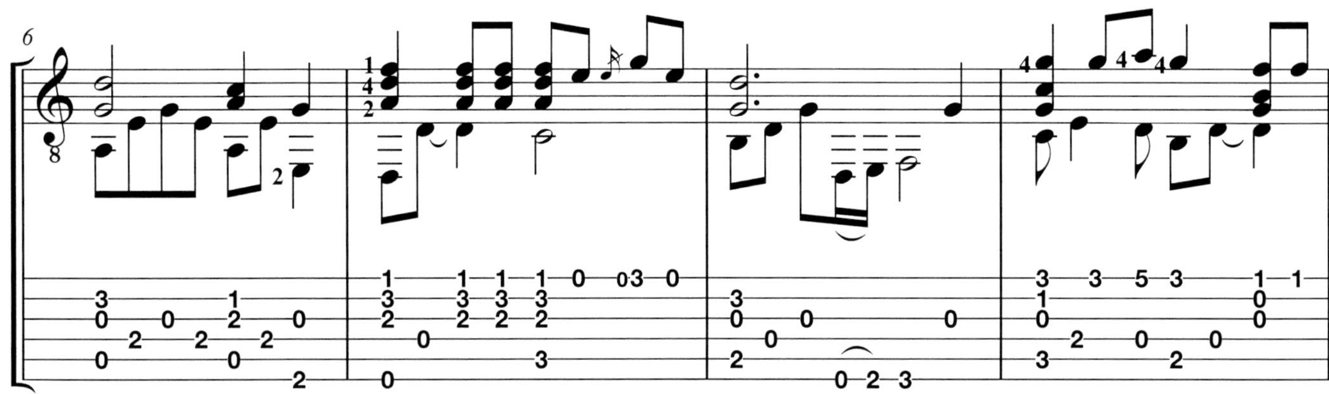

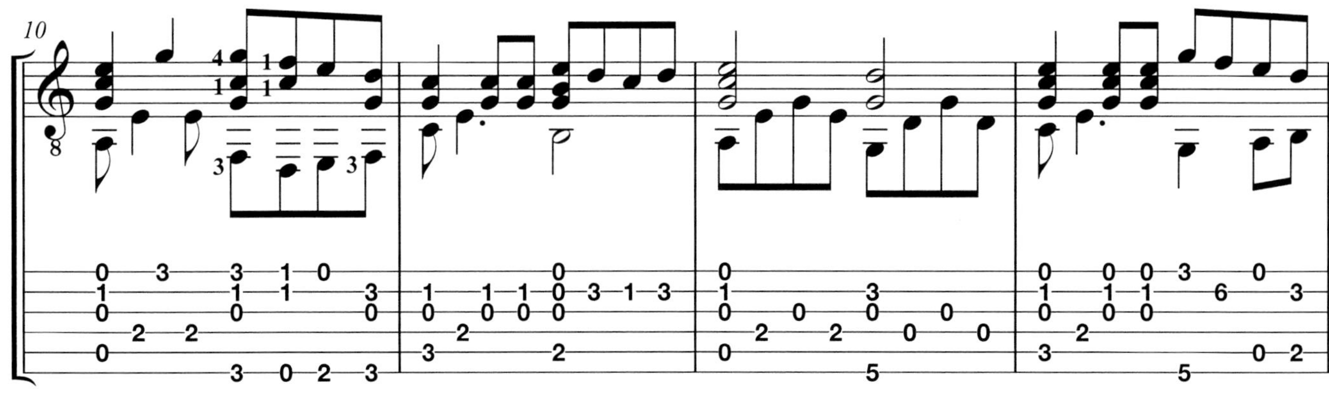

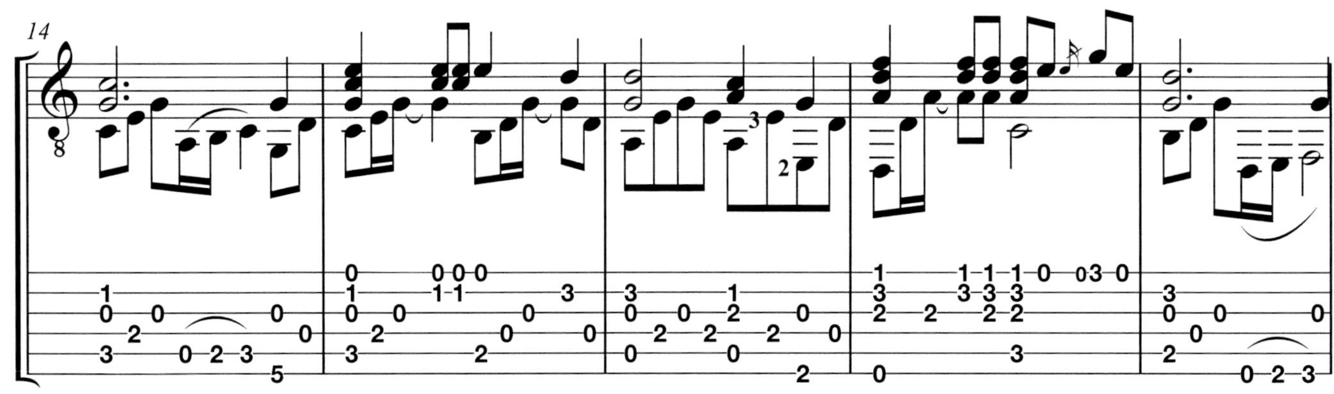

Es waren zwei Königskinder

Es waren zwei Königskinder,
die hatten einander so lieb,
sie konnten zusammen nicht kommen,
denn das Wasser war viel zu tief ...

„Ach, Liebster, kannst du nicht schwimmen,
so schwimme doch her zu mir,
drei Kerzen will ich anzünden,
und die sollen leuchten dir ...

Das hört eine falsche Nonne,
die tat, als wenn sie schlief,
sie tät die Kerzen auslöschen,
der Jüngling ertrank so tief ...

Ein Fischer wohl fischte lange,
bis er den Toten fand:
„Sieh da, du liebliche Jungfrau,
hast hier deinen Königssohn ..."

Sie nahm ihn in ihre Arme
und küßt seinen bleichen Mund,
es mußt ihr das Herze brechen,
sank in den Tod zur Stund ...

Komm, lieber Mai, und mache

Komm, lieber Mai, und mache
die Bäume wieder grün,
und lass uns an dem Bache,
die kleinen Veilchen blühn!
Wie möcht ich doch so gerne
ein Veilchen wieder sehn,
ach, lieber Mai, wie gerne
einmal spazieren gehn!

Zwar Wintertage haben
wohl auch der Freuden viel:
man kann im Schnee eins traben
und treibt manch' Abendspiel,
baut Häuserchen von Karten,
spielt Blindekuh und Pfand,
auch gibt's wohl Schlittenfahrten
auf's liebe freie Land.

Doch wenn die Vögel singen
und wir dann froh und flink
auf grünem Rasen springen,
das ist ein ander Ding!
Jetzt muss mein Steckenpferdchen
dort in dem Winkel stehn,
denn draußen in dem Gärtchen
kann man vor Schmutz nicht gehn.

Am meisten aber dauert
mich Lottchens Herzeleid:
Das arme Mädchen lauert
recht auf die Blumenzeit;
umsonst hol' ich ihr Spielchen
zum Zeitvertreib herbei;
sie sitzt auf ihrem Stühlchen
wie's Hühnchen aus dem Ei.

Ach, wenn's doch erst gelinder
und grüner draußen wär!
Komm, lieber Mai! Wir Kinder,
wir bitten gar zu sehr!
O komm und bring vor allen
uns viele Veilchen mit,
bring auch viel Nachtigallen
und schöne Kuckucks mit.

4. Komm, lieber Mai, und mache

Melodie: W. A. Mozart (1791), Bearbeitung: Ulli Bögershausen
Text: C. A. Overbeck (1775)

Dropped D Tuning, Capo II

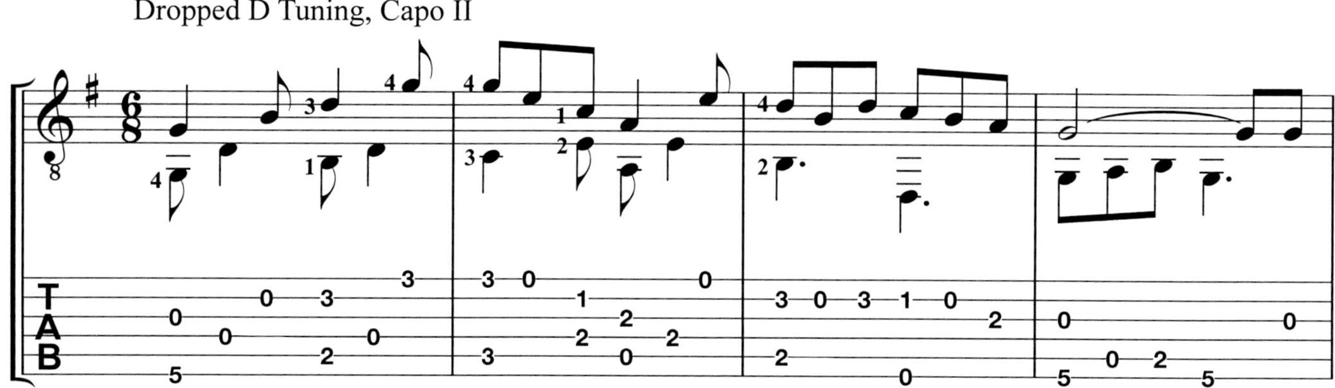

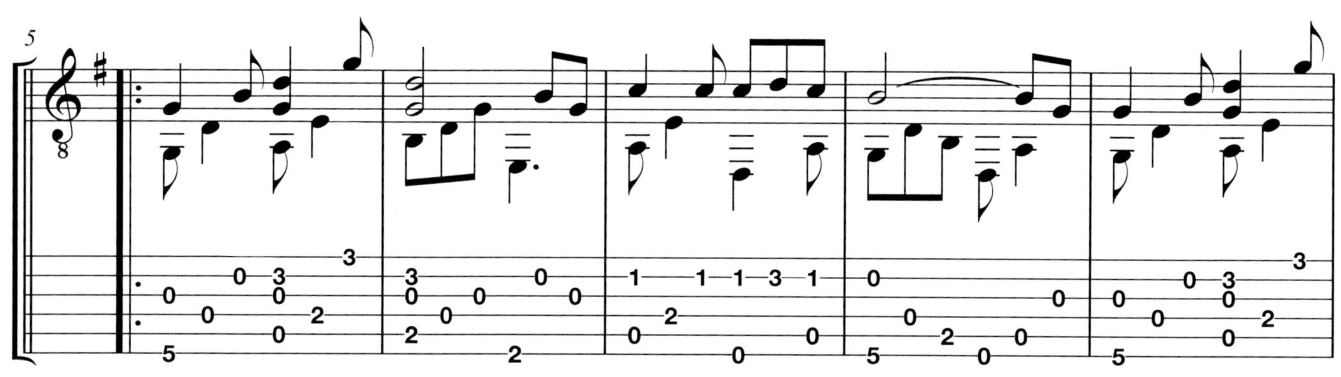

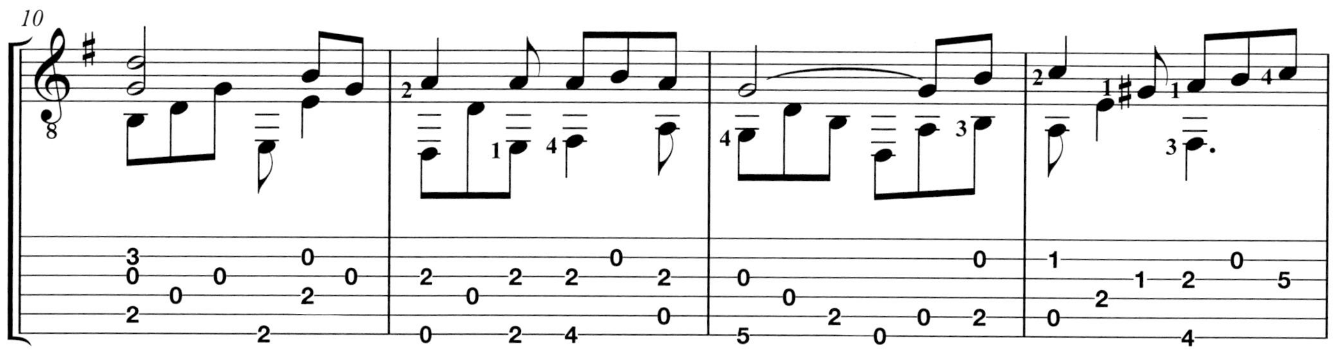

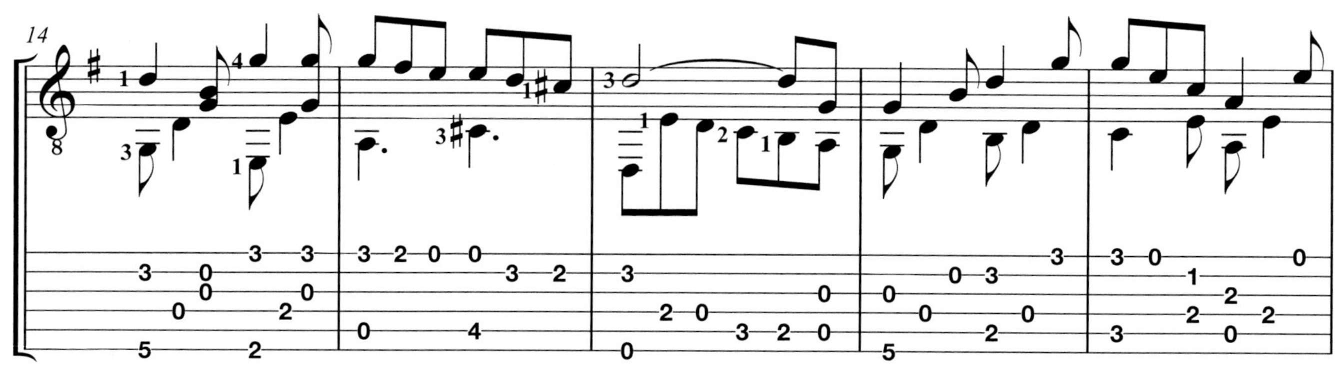

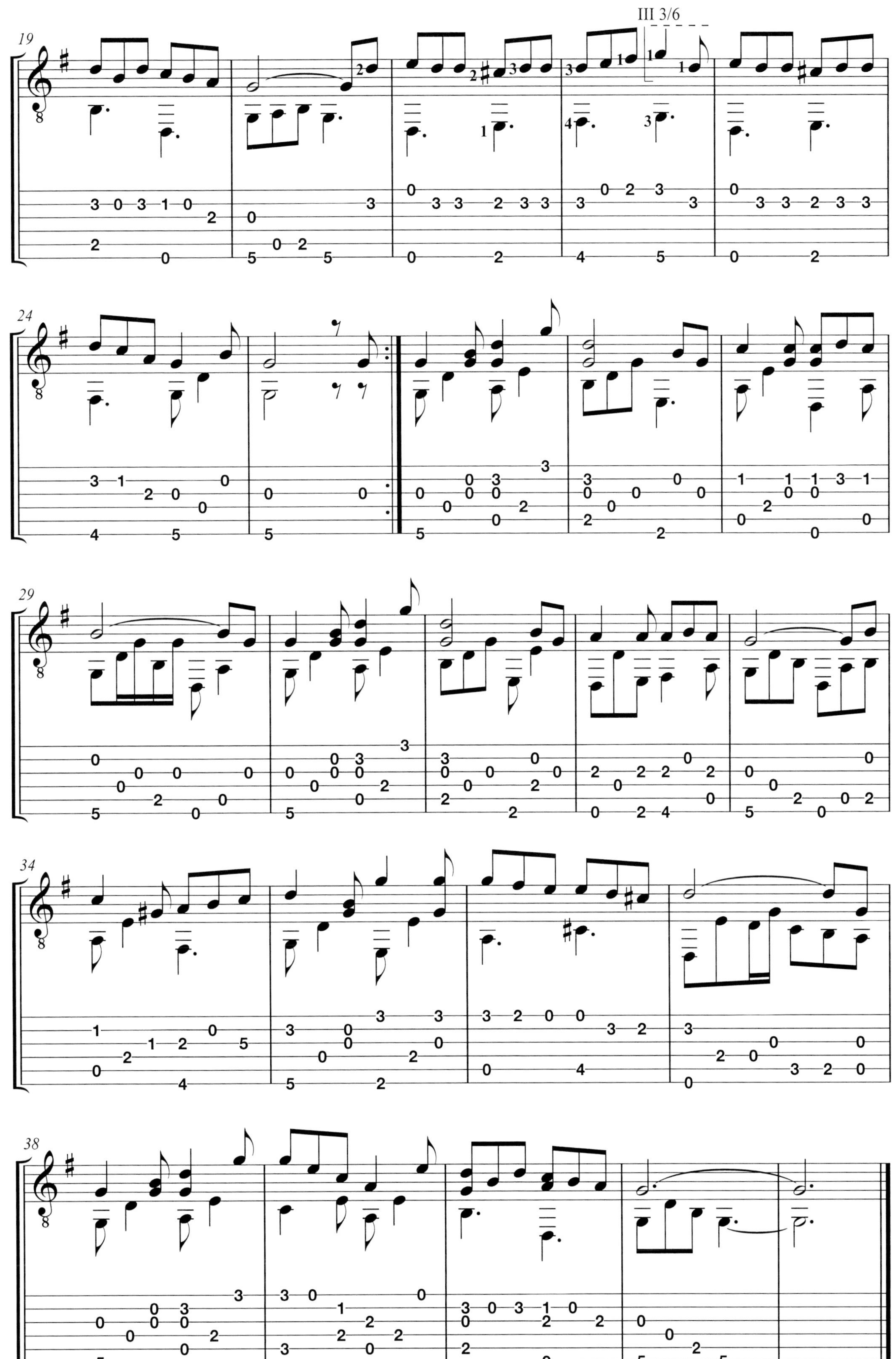
19
III 3/6
24
29
34
38

3. Der Winter ist vergangen

Melodie: Volkslied, Bearbeitung: Ulli Bögershausen
Text: Ursprünglich Holländisch, deutsche Übersetzung von Franz Magnus Böhme

Dropped D Tuning, Capo II

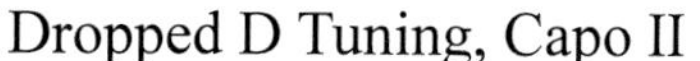

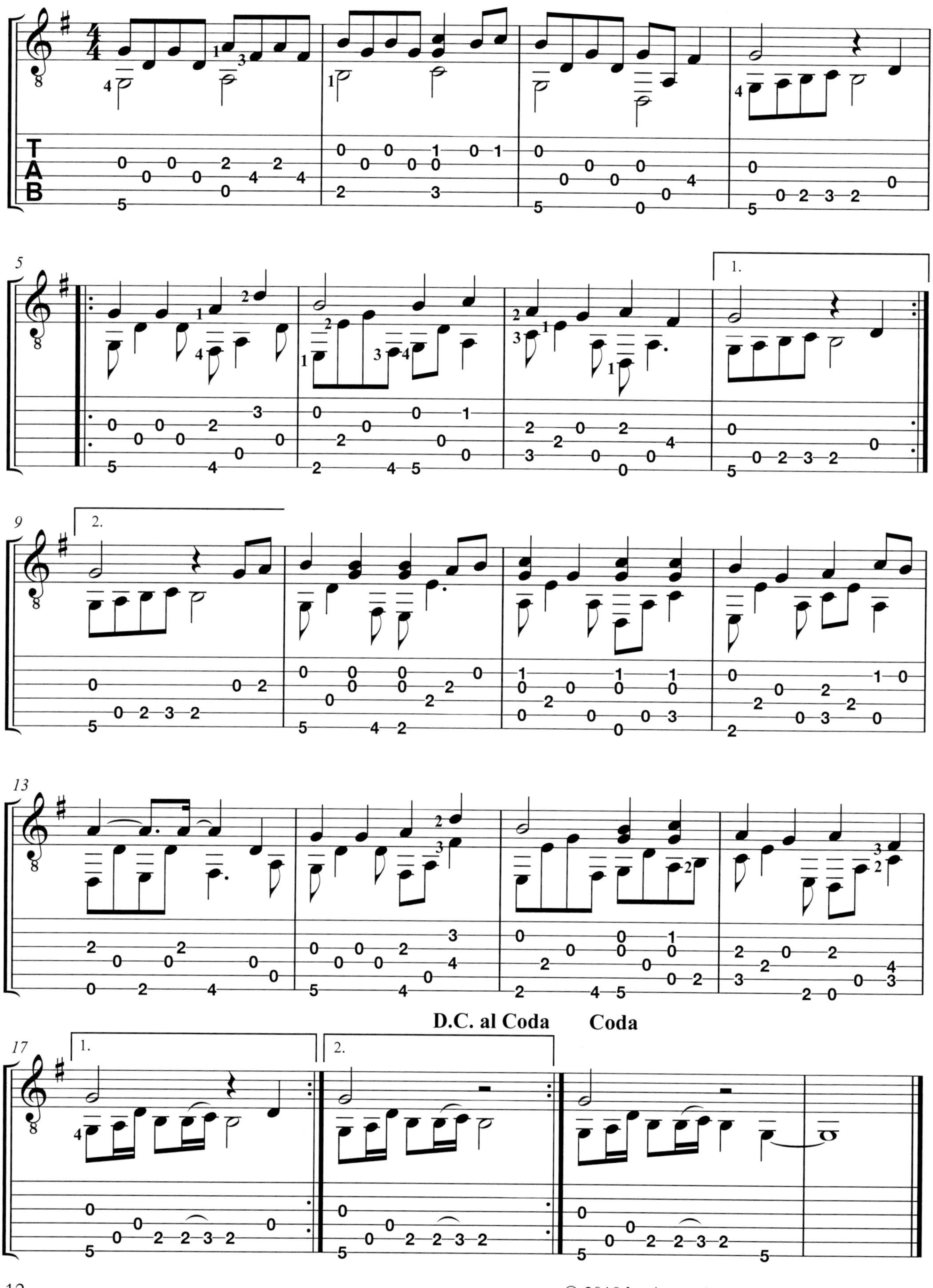
TAB
1.
2.
D.C. al Coda
Coda

Der Winter ist vergangen

Der Winter ist vergangen,
ich seh des Maien Schein,
ich seh die Blümlein prangen,
des ist mein Herz erfreut.
So fern in jenem Tale,
da ist gar lustig sein,
da singt die Nachtigale
und manch Waldvögelein.

Ich geh, ein Mai zu hauen
hin durch das grüne Gras,
schenk meinem Buhl die Treue,
die mir die Liebste was.
Und bitt, dass sie mag kommen,
all vor dem Fenster stahn,
empfangen den Mai mit Blumen,
er ist gar wohl getan.

Er nahm sie sonder Trauern
in seine Arme blank,
der Wächter auf den Mauern
hob an sein Lied und sang:
»Ist jemand noch darinnen,
der mag jetzt heimwärts gahn.
Ich seh den Tag herdringen
schon durch die Wolken klar.«

»Ach, Wächter auf der Mauer,
wie quälst du mich so hart!
Ich lieg in schweren Trauern,
mein Herze leidet Schmerz.
Das macht die Allerliebste,
von der ich scheiden muss;
das klag ich Gott dem Herren,
dass ich sie lassen muss.

Ade, mein Allerliebste,
ade, schöns Blümlein fein.
Ade, schön Rosenblume,
es muss geschieden sein!
Bis dass ich wieder komme,
sollst du die Liebste mein;
das Herz in meinem Leibe
das ist ja allzeit dein.«

Heideröslein

Sah ein Knab ein Röslein stehn,
Röslein auf der Heiden,
War so jung und morgenschön,
Lief er schnell, es nah zu sehn,
Sah's mit vielen Freuden.
Röslein, Röslein, Röslein rot,
Röslein auf der Heiden.

Knabe sprach: „Ich breche dich,
Röslein auf der Heiden!"
Röslein sprach: „Ich steche dich,
Dass du ewig denkst an mich,
Und ich will's nicht leiden."
Röslein, Röslein, Röslein rot,
Röslein auf der Heiden.

Und der wilde Knabe brach
's Röslein auf der Heiden;
Röslein wehrte sich und stach,
Half ihm doch kein Weh und Ach,
Musst es eben leiden.
Röslein, Röslein, Röslein rot,
Röslein auf der Heiden.

5. Heideröslein

Meoldie: Heinrich Werner (1829), Bearbeitung: Ulli Bögershausen
Text: Johann Wolfgang von Goethe (1770)

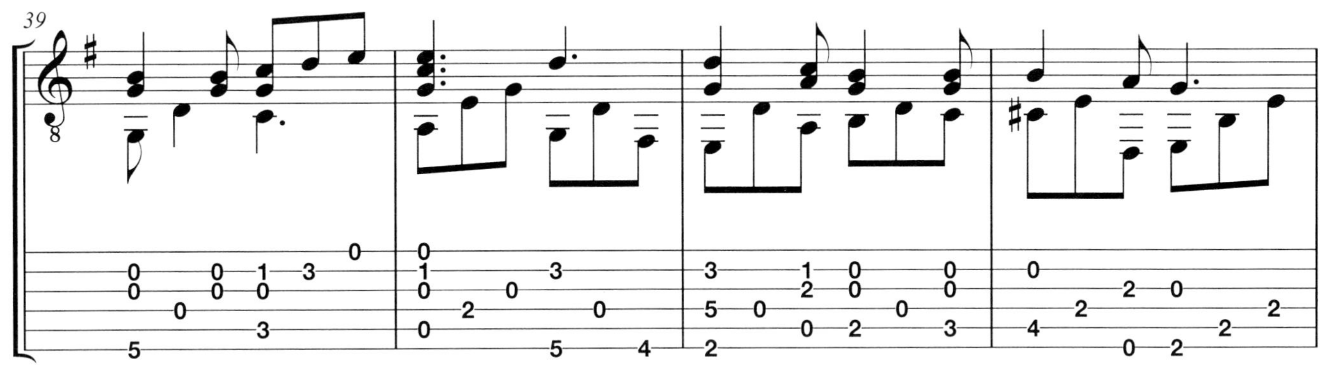
39

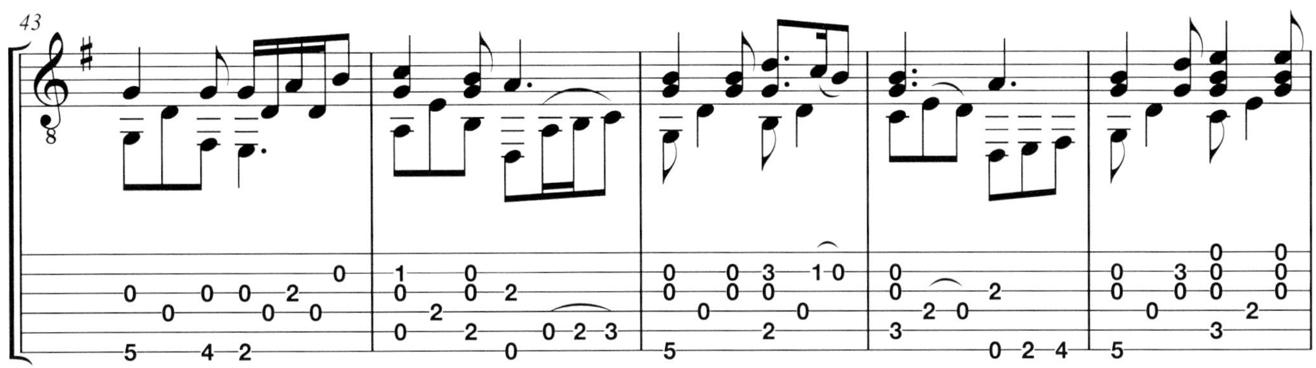
43

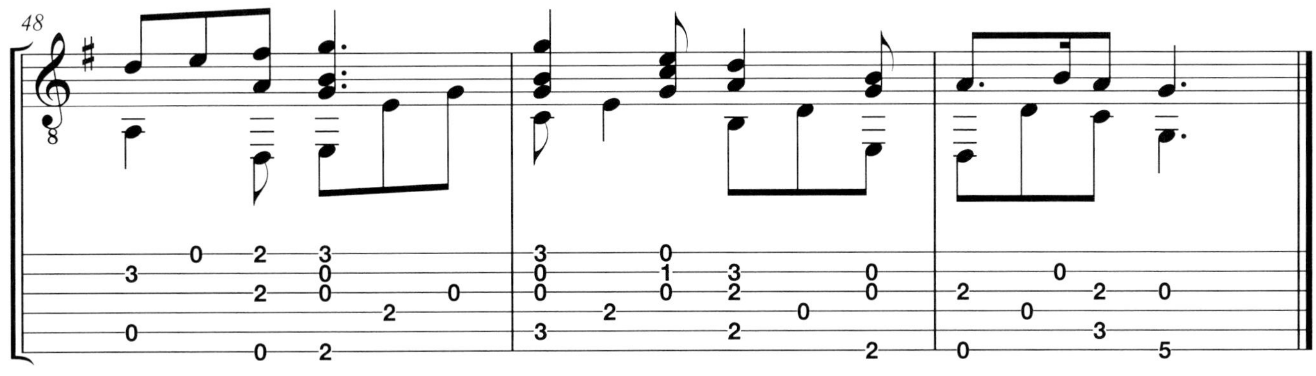
48

6. Lorelei (Ich weiß nicht, was soll es bedeuten)

Melodie: Friedrich Silcher (1838), Bearbeitung: Ulli Bögershausen
Text: Heinrich Heine (1823)

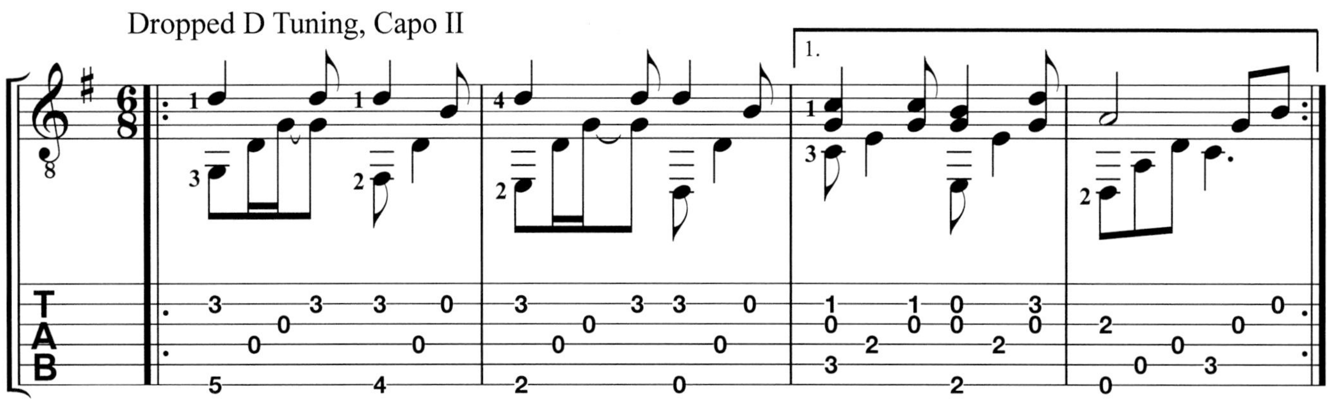

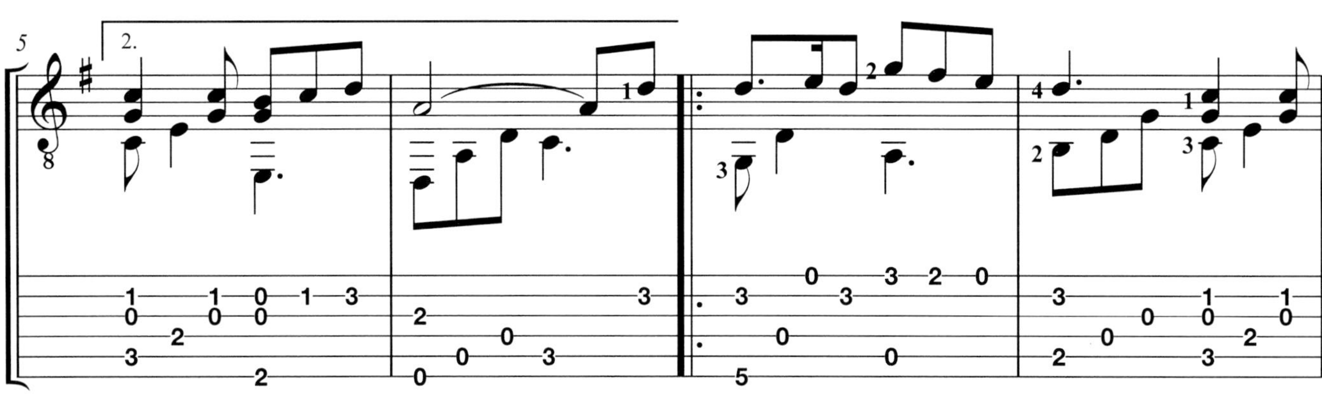

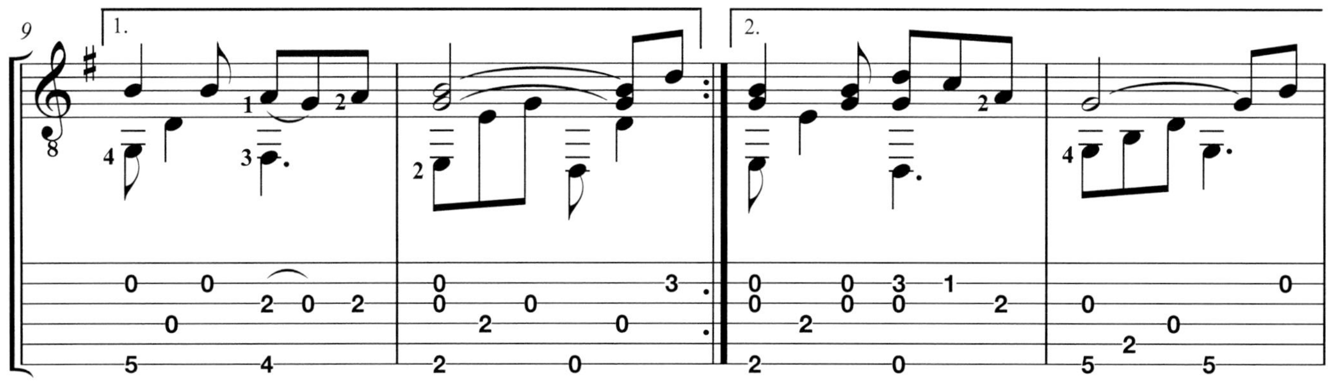

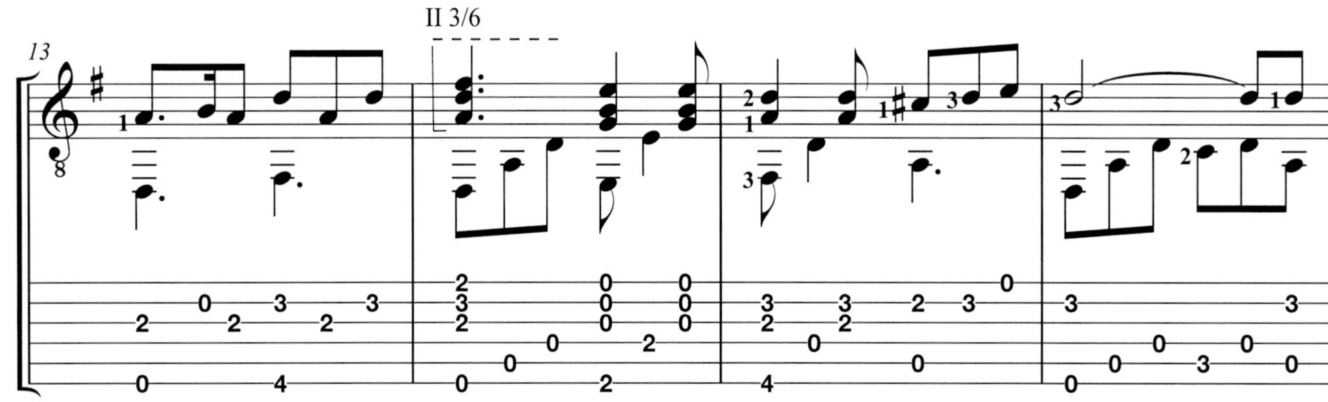

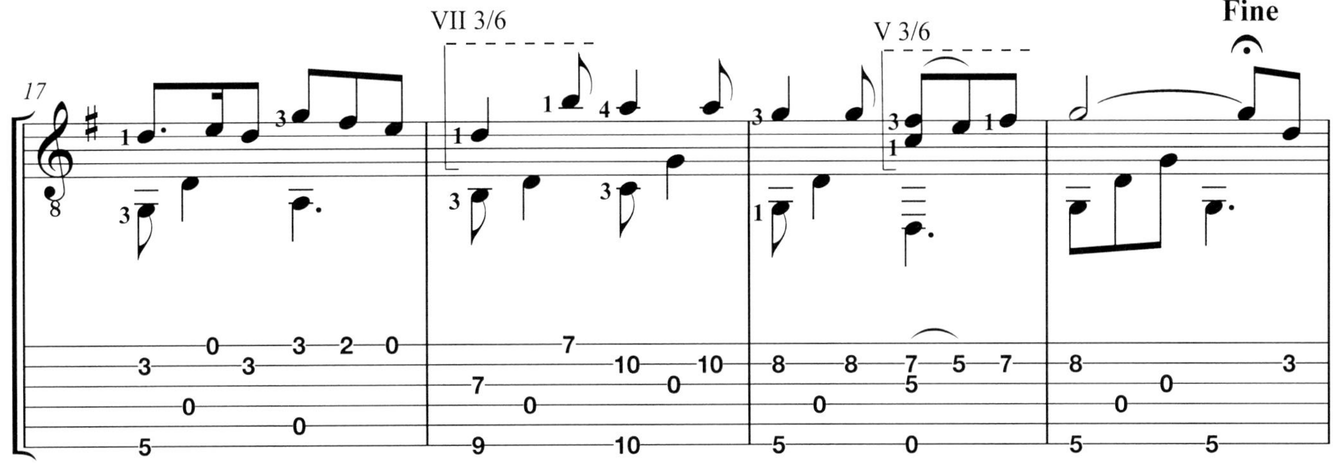
VII 3/6
V 3/6
Fine

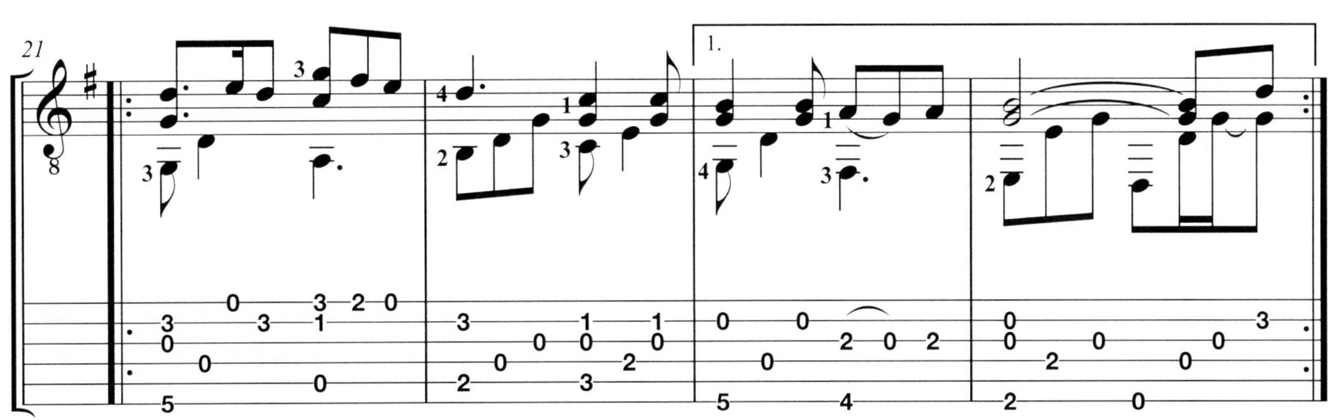
1.

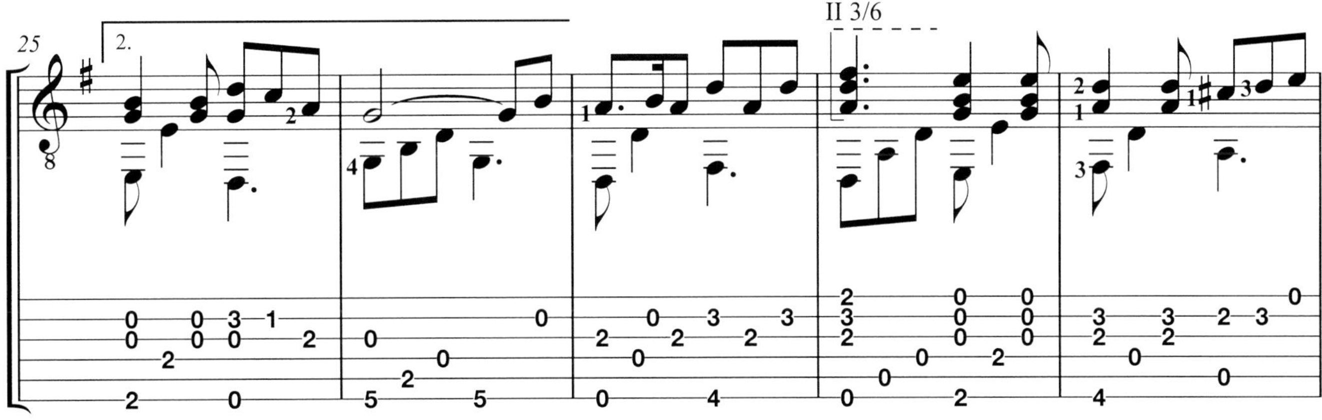
2.
II 3/6

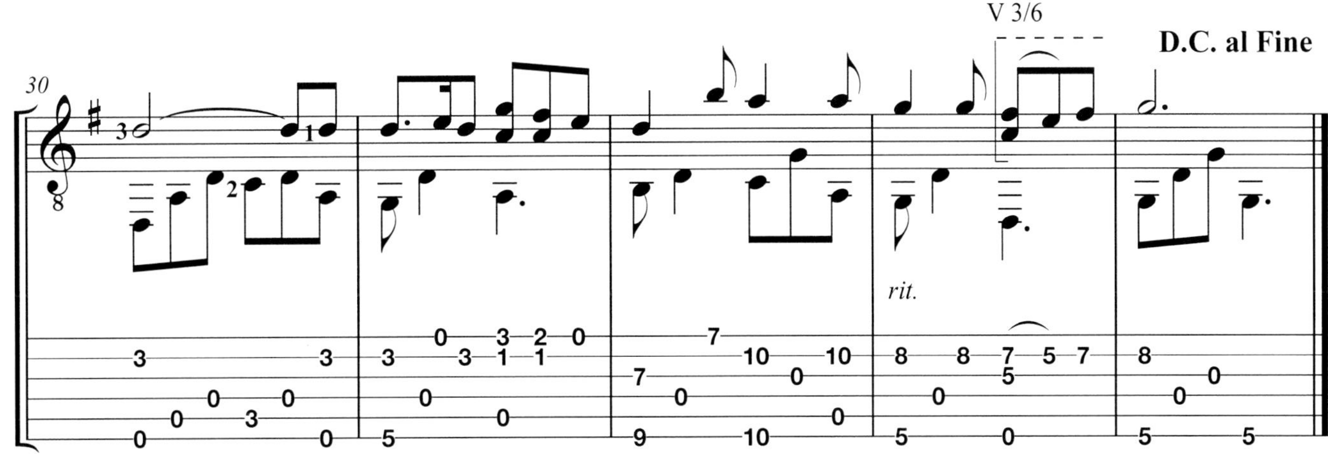
V 3/6
D.C. al Fine
rit.

Lorelei

Ich weiß nicht was soll es bedeuten,
dass ich so traurig bin;
ein Märchen aus alten Zeiten,
das kommt mir nicht aus dem Sinn.
Die Luft ist kühl und es dunkelt,
und ruhig fließt der Rhein;
der Gipfel des Berges funkelt
im Abendsonnenschein.

Die schönste Jungfrau sitzet
dort oben wunderbar;
ihr goldnes Geschmeide blitzet,
sie kämmt ihr goldenes Haar.
Sie kämmt es mit goldenem Kamme
und singt ein Lied dabei;
das hat eine wundersame,
gewaltige Melodei.

Den Schiffer im kleinen Schiffe
ergreift es mit wildem Weh;
er schaut nicht die Felsenriffe,
er schaut nur hinauf in die Höh.
Ich glaube, die Wellen verschlingen
am Ende Schiffer und Kahn;
und das hat mit ihrem Singen
die Lorelei getan.

In einem kühlen Grunde

In einem kühlen Grunde,
da geht ein Mühlenrad;
mein Liebchen ist verschwunden,
das dort gewohnet hat.
Mein Liebchen ist verschwunden,
das dort gewohnet hat.

Sie hat mir Treu' versprochen,
gab mir ein'n Ring dabei,
sie hat die Treu' gebrochen:
Das Ringlein sprang entzwei.

Ich möcht' als Spielmann reisen
weit in die Welt hinaus
und singen meine Weisen
und gehn von Haus zu Haus.

Ich möcht' als Reiter fliegen
wohl in die blut'ge Schlacht,
um stille Feuer liegen
im Feld bei dunkler Nacht.

Hör' ich das Mühlrad gehen:
ich weiß nicht, was ich will -
ich möcht' am liebsten sterben,
dann wär's auf einmal still.

7. In einem kühlen Grunde

Melodie: M. Friedrich Glück (1814), Bearbeitung: Ulli Bögershausen
Text: T. Joseph von Eichendorff (1800)

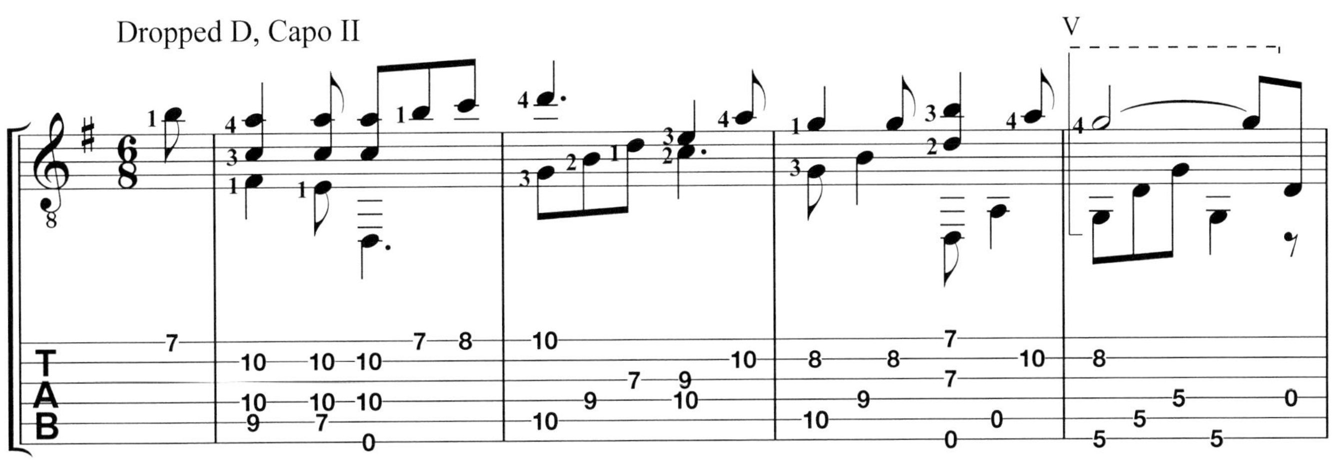

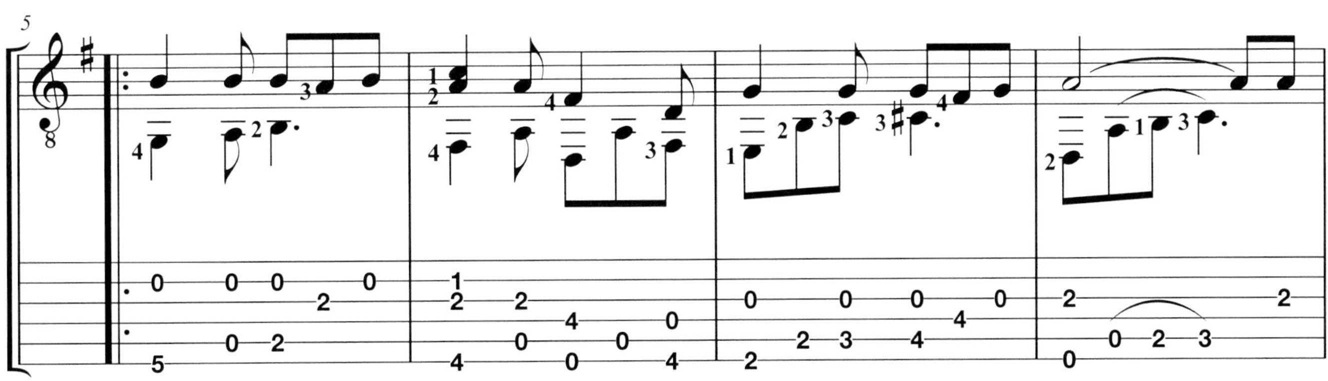

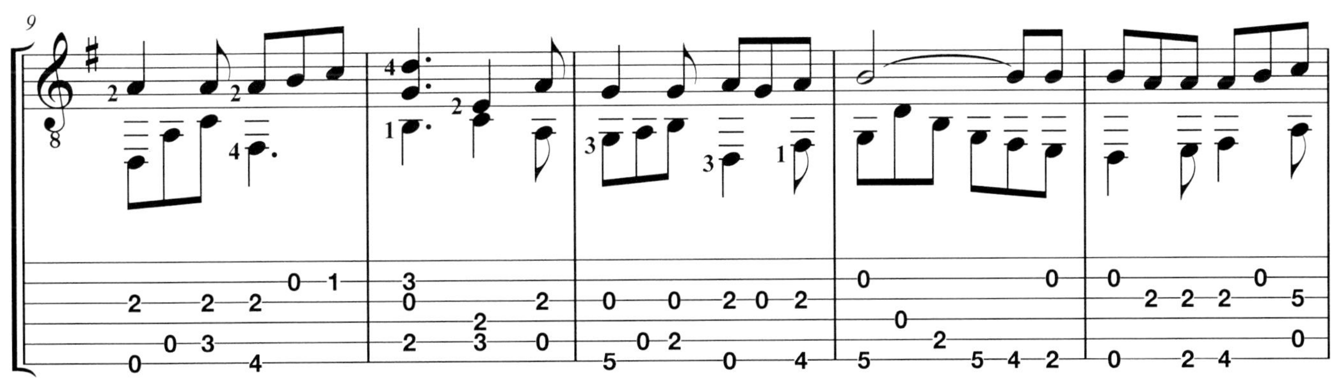

D.C. al Fine

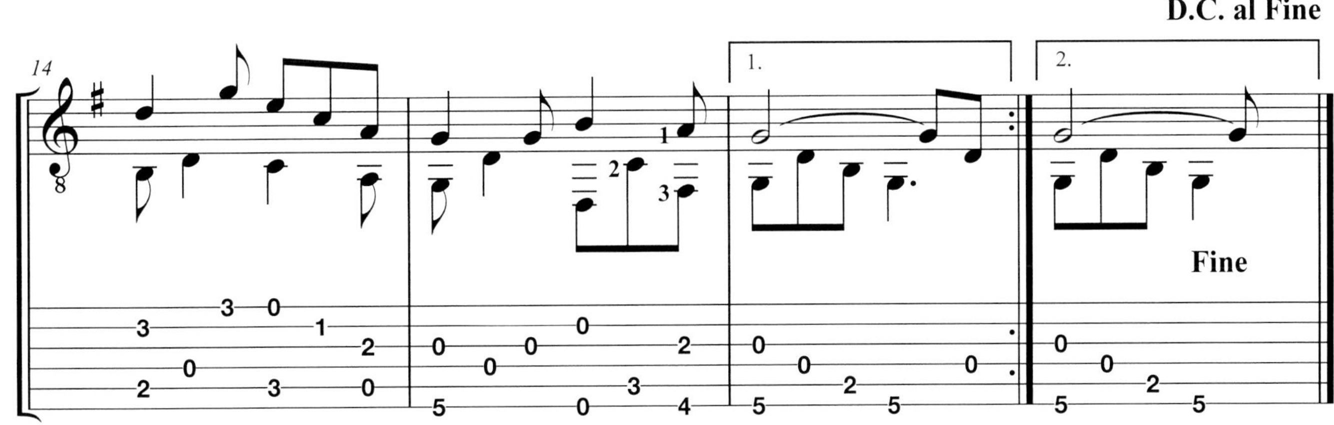

8. Ich hab' die Nacht geträumet

Melodie: Volkslied, Bearbeitung: Ulli Bögershausen
Text: Veröffentlicht von Joachim August Zarnack

Dropped D Tuning, Capo II

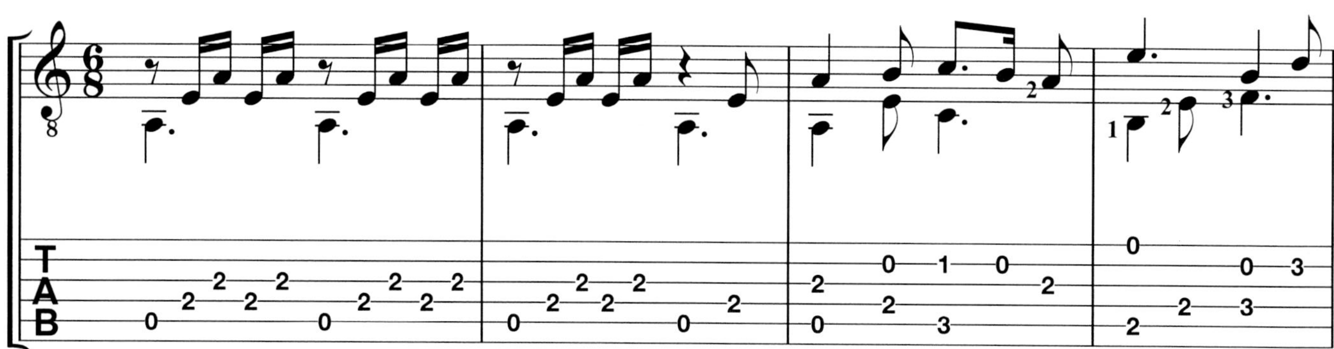

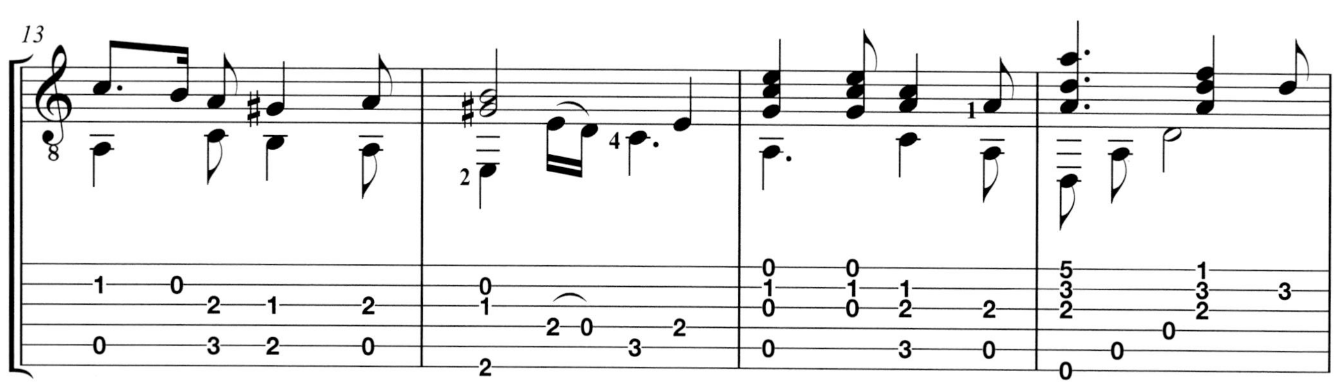

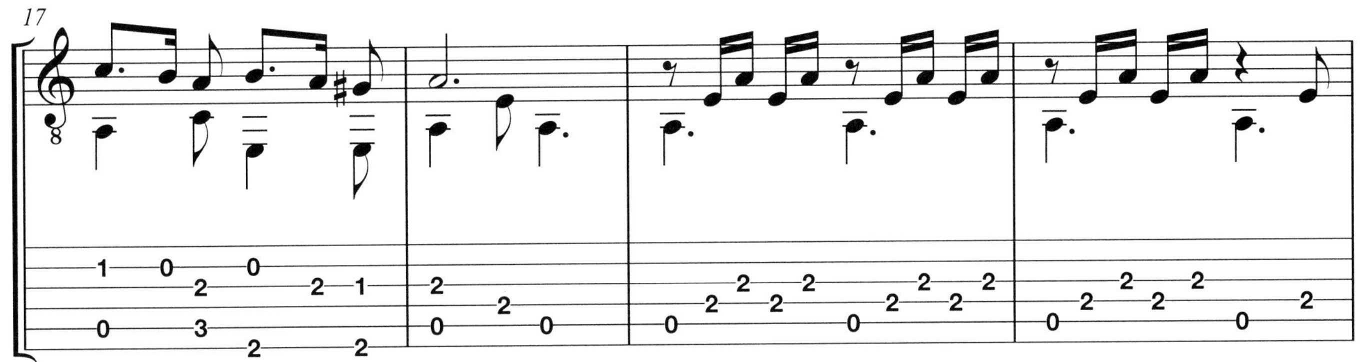
17

21

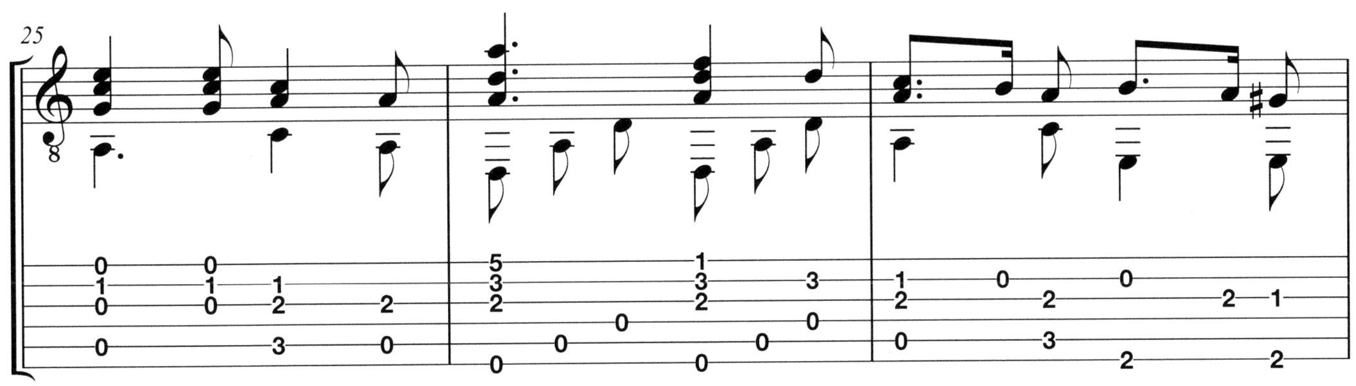
25

28

Ich hab' die Nacht geträumet

Ich hab' die Nacht geträumet
wohl einen schweren Traum,
es wuchs in meinem Garten
ein Rosmarienbaum.

Ein Kirchhof war der Garten,
ein Blumenbeet das Grab,
und von dem grünen Baume
fiel Kron und Blüten ab.

Die Blätter tät ich sammeln
in einem großen Krug,
der fiel mir aus den Händen,
daß er in Stücken schlug.

Draus sah ich Perlen rinnen
und Tröpflein rosenrot.
Was mag der Traum bedeuten?
Ach Liebster, bist du tot?

Wohl heute noch und morgen

Wohl heute noch und morgen, da bin ich noch bei dir,
wenn aber kommt der dritte Tag, dann muß ich fort von hier.

Wann kommst du aber wieder, Herzallerliebster mein?
Wenns schneiet rote Rosen und regnet kühlen Wein.

Es schneiet keine Rosen, es regnet keinen Wein.
So kommst du auch nicht wieder, Herzallerliebster mein.

In meines Vaters Garten, da legt ich mich nieder und schlief.
Da träumte mir ein Träumelein, wies regnet über mich.

Der Knabe kehrt zurücke, geht zu dem Garten ein,
trägt einen Kranz von Rosen und einen Becher Wein.

Hat mit dem Fuß gestoßen wohl an das Hügelein.
Er fiel - da schneit es Rosen, da regnets kühlen Wein.

9. Wohl heute noch und morgen

Melodie: Volkslied (18. Jahrhundert), Bearbeitung: Ulli Bögershausen
Text: Traditionell (18. Jahrhundert)

Standard Tuning, Capo II

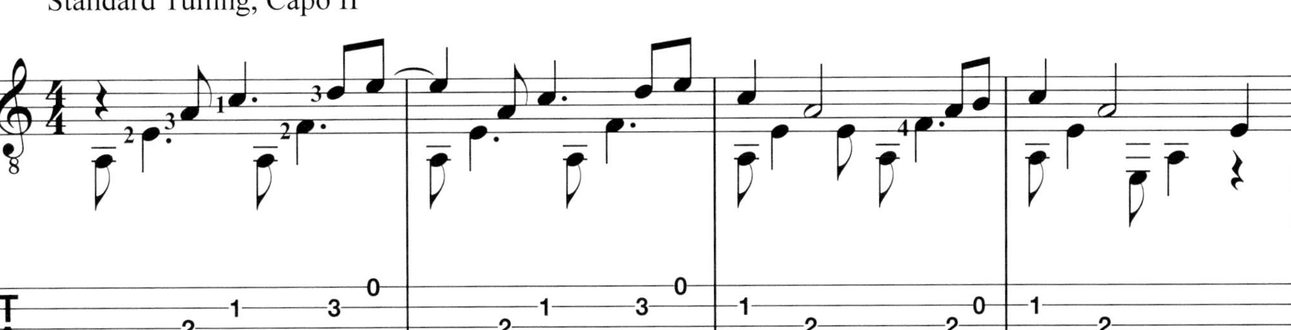

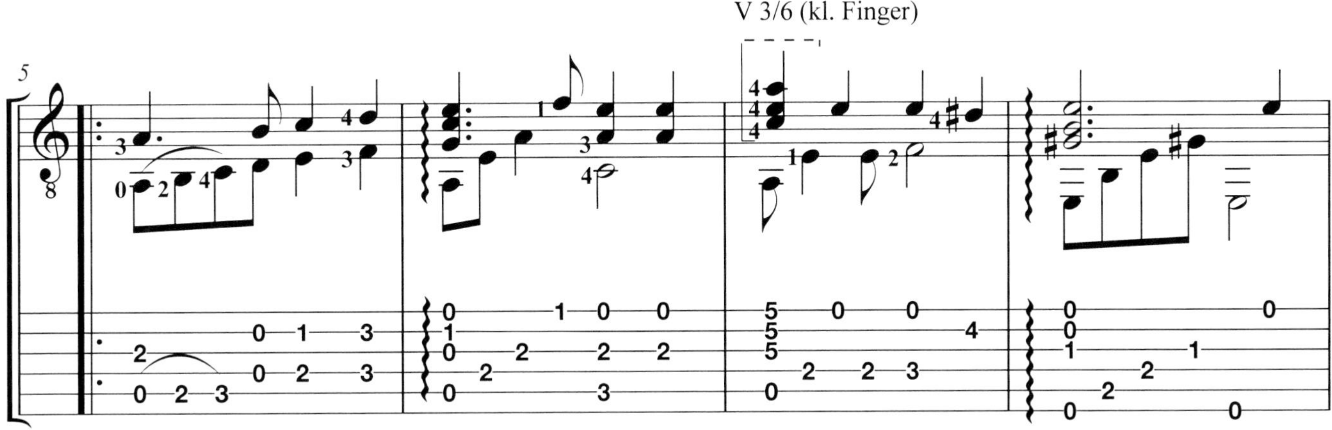

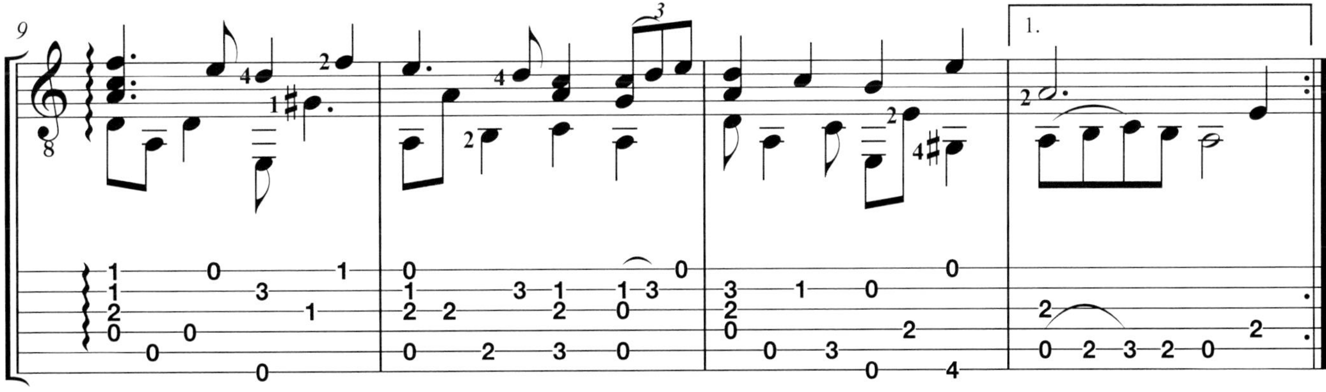

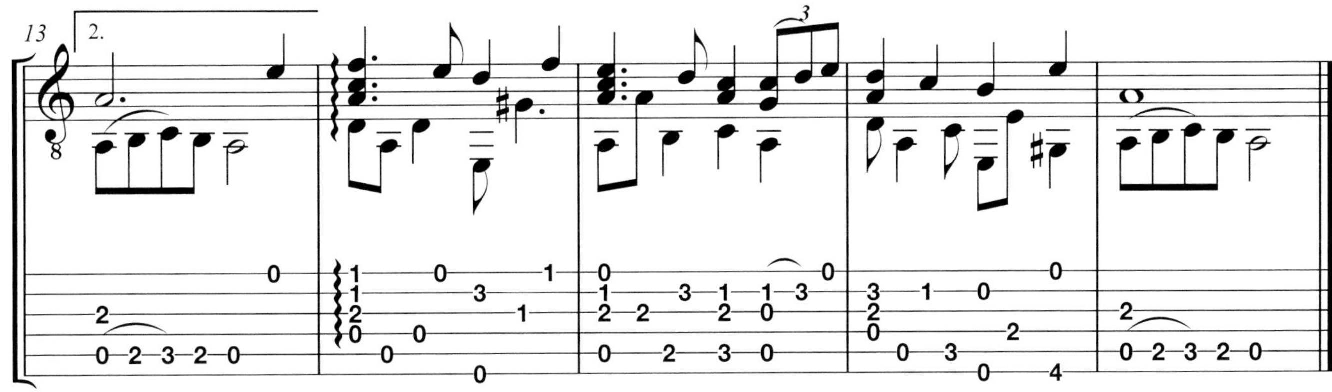

10. Wenn ich ein Vöglein wär

Melodie: Volkslied, Bearbeitung: Ulli Bögershausen
Text: Johann Gottfried Herder (1778)

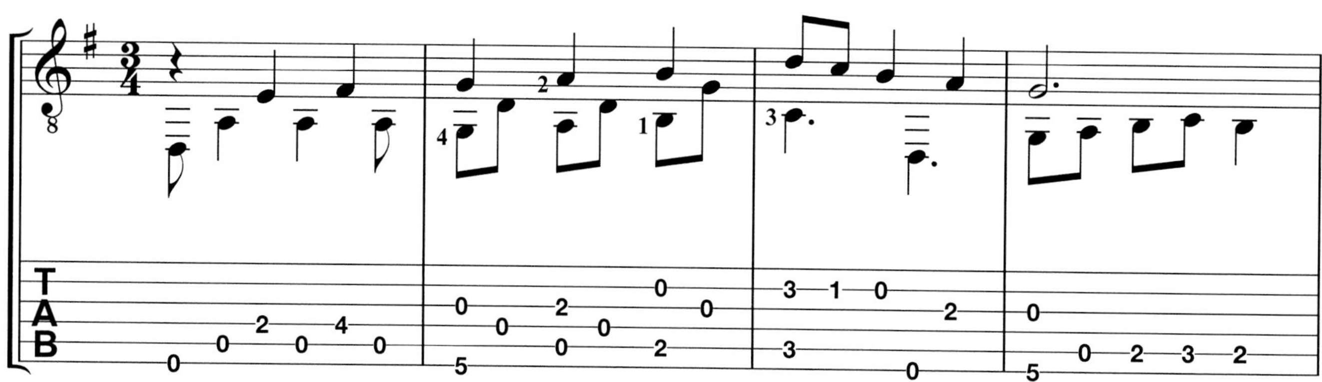

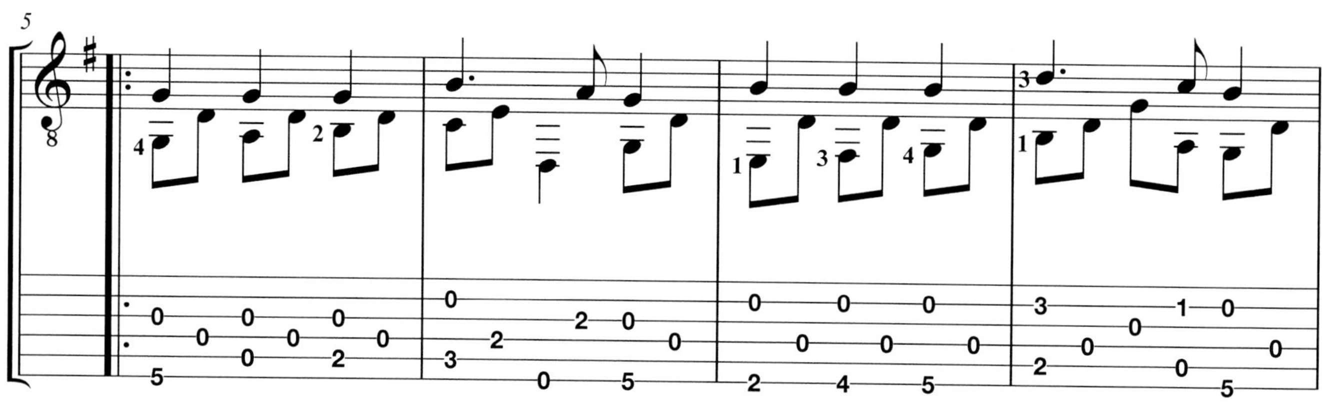

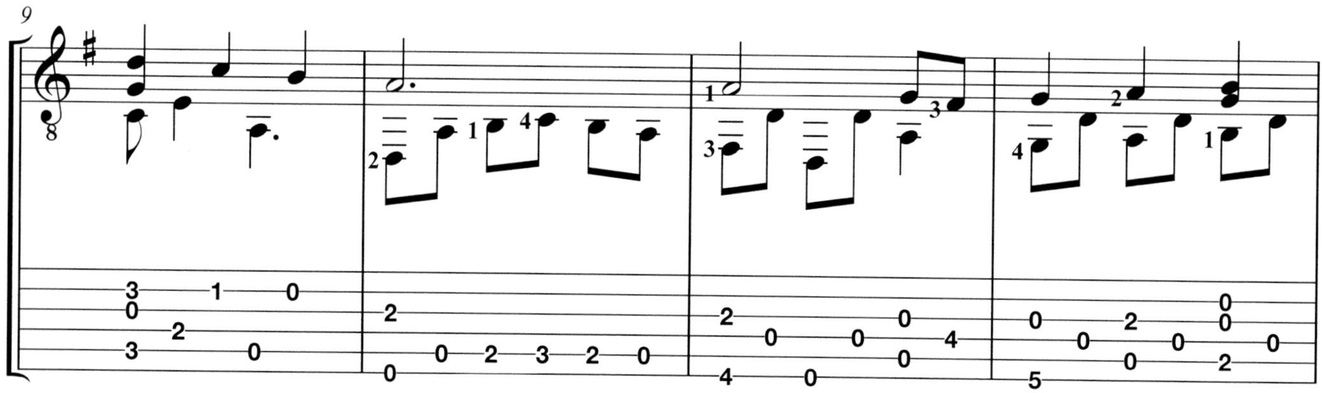

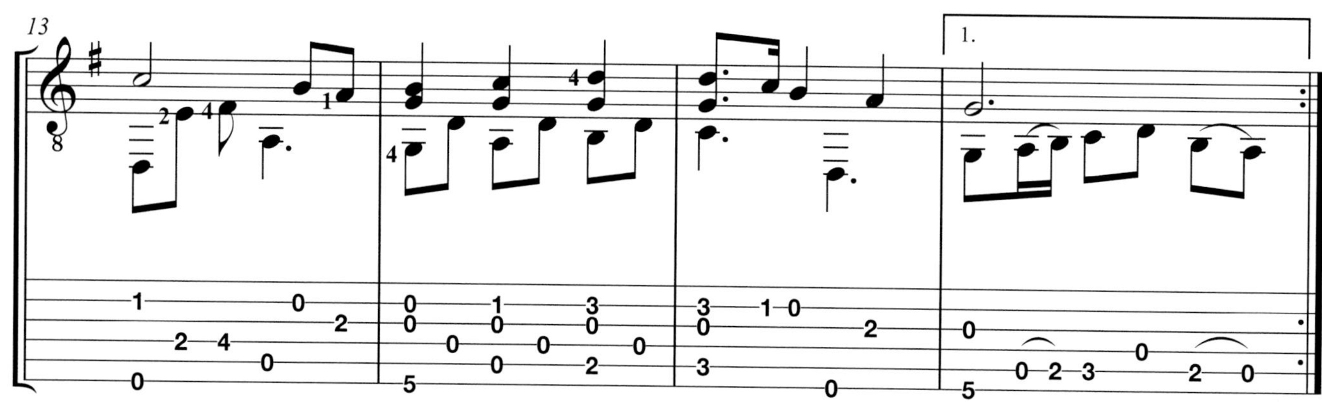

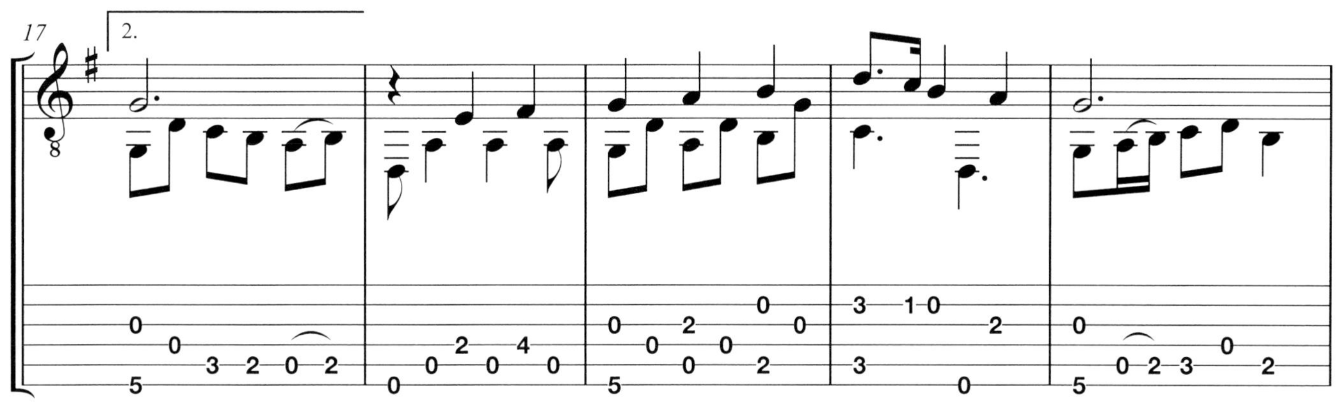
17
2.

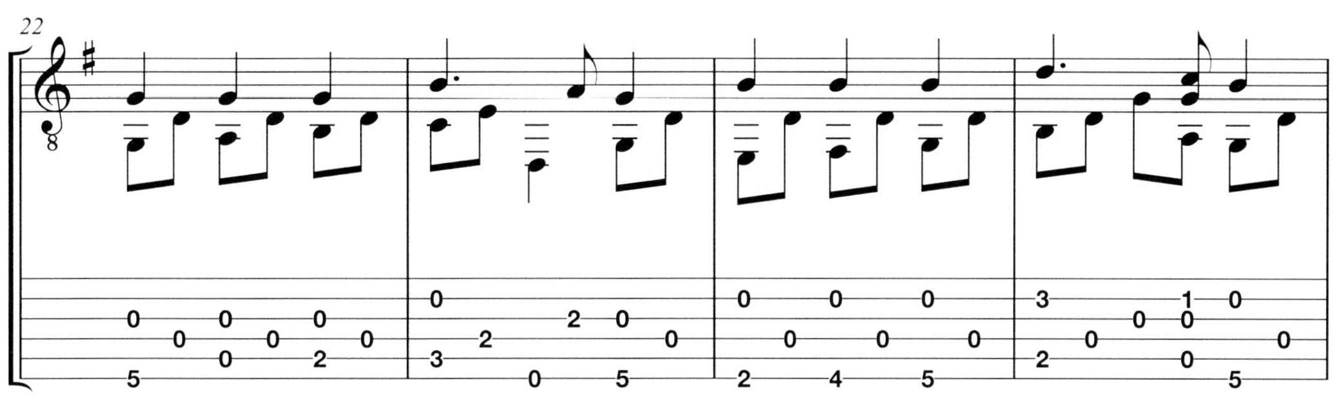
22

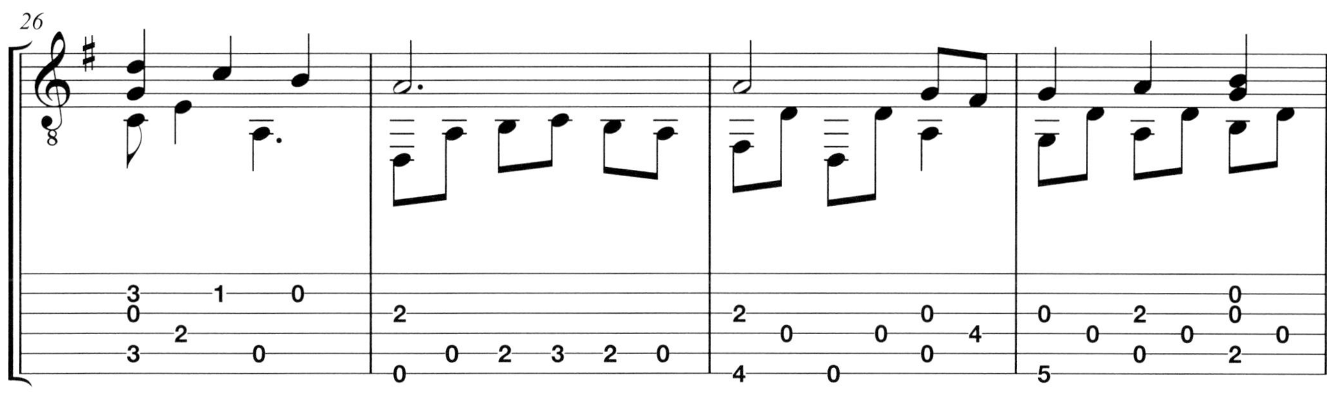
26

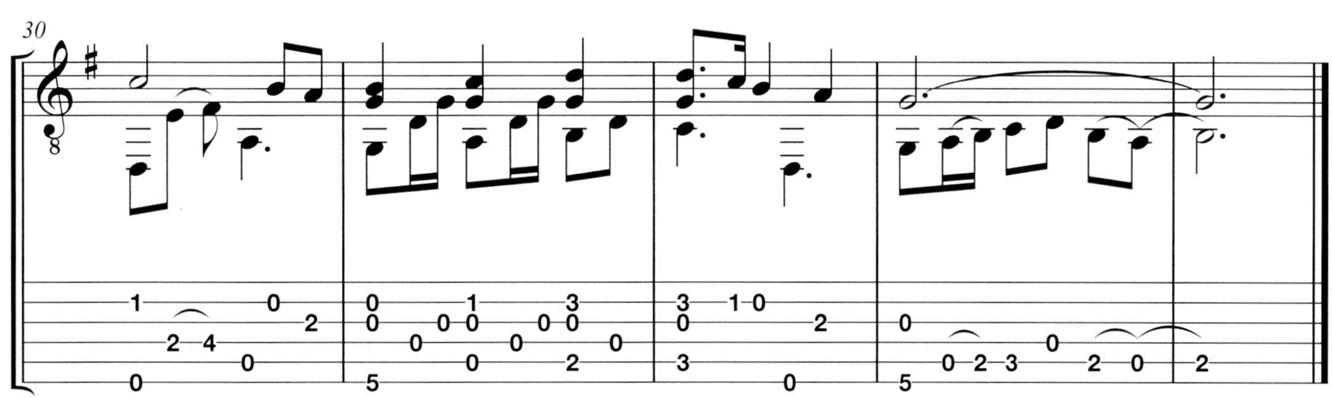
30

Wenn ich ein Vöglein wär

Wenn ich ein Vöglein wär
und auch zwei Flügel hätt,
flög ich zu dir.
Weil's aber nicht kann,
bleib ich all hier.

Bin ich gleich weit von dir,
bin ich doch im Traum bei dir
und red mit dir;
wenn ich erwachen tu,
bin ich allein.

Es vergeht kein' Stund in der Nacht,
da nicht mein Herz erwacht
und an dich denkt,
daß du mir viel tausendmal,
dein Herz geschenkt.

Zogen einst fünf wilde Schwäne

Zogen einst fünf wilde Schwäne,
Schwäne leuchtend weiß und schön.
Sing, sing, was geschah?
Keiner ward mehr gesehen. Ja!
Sing, sing, was geschah?
Keiner ward mehr gesehn.

Wuchsen einst fünf junge Birken
grün und frisch an Bachesrand.
Sing, sing, was geschah?
Keine in Blüten stand. Ja!
Sing, sing, was geschah?
Keine in Blüten stand. Ja!

Zogen einst fünf junge Burschen
stolz und kühn zum Kampf hinaus.
Sing, sing, was geschah?
Keiner kehrt nach Haus. Ja!
Sing, sing, was geschah?
Keiner kehrt nach Haus. Ja!

Wuchsen einst fünf junge Mädchen
schön und schlank am Memelstrand.
Sing, sing, was geschah?
Keins den Brautkranz wand. Ja!
Sing, sing, was geschah?
Keins den Brautkranz wand. Ja!

11. Zogen einst fünf wilde Schwäne

Melodie: Volkslied (19. Jahrhundert), Bearbeitung: Ulli Bögershausen
Text: Traditionell (19. Jahrhundert)

Dropped D Tuning, Capo II

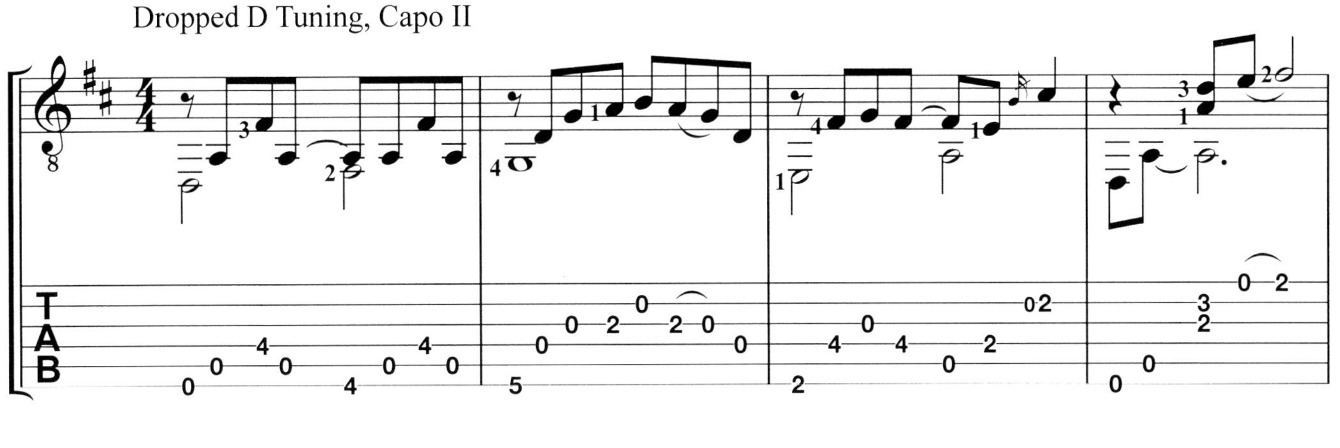

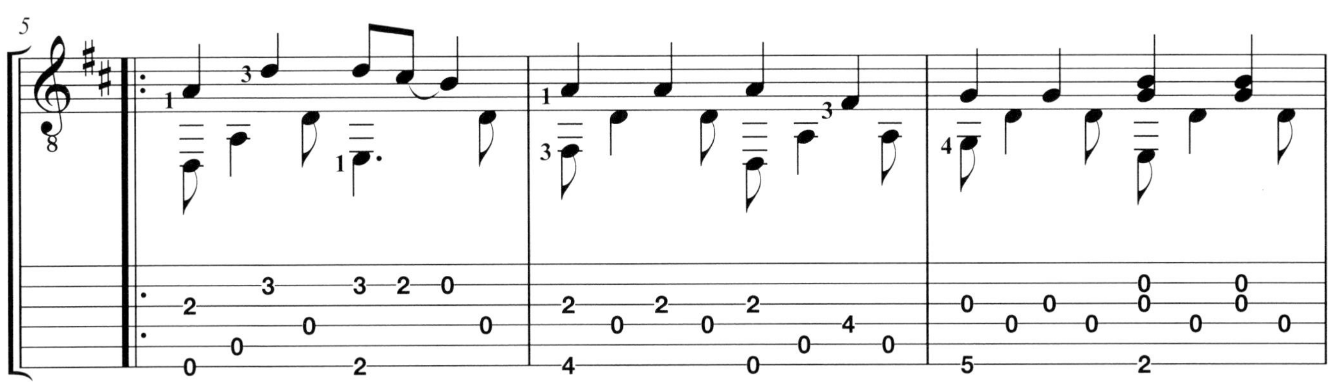

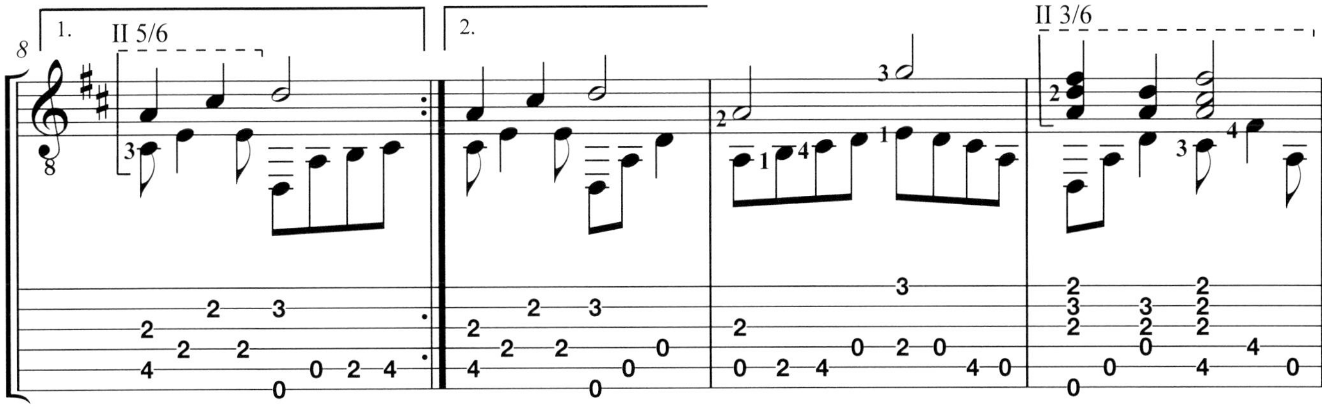

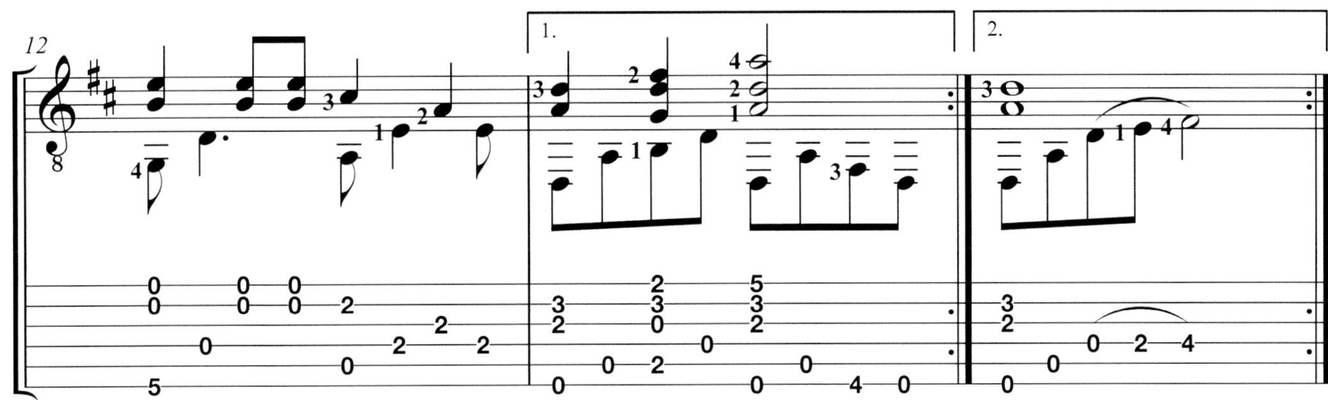

12. Der Mond ist aufgegangen

Melodie: Johann Abraham Peter Schulz, 1790.
Bearbeitung: Ulli Bögershausen
Text: Matthias Claudius (1740–1815)

Dropped D Tuning, Capo II

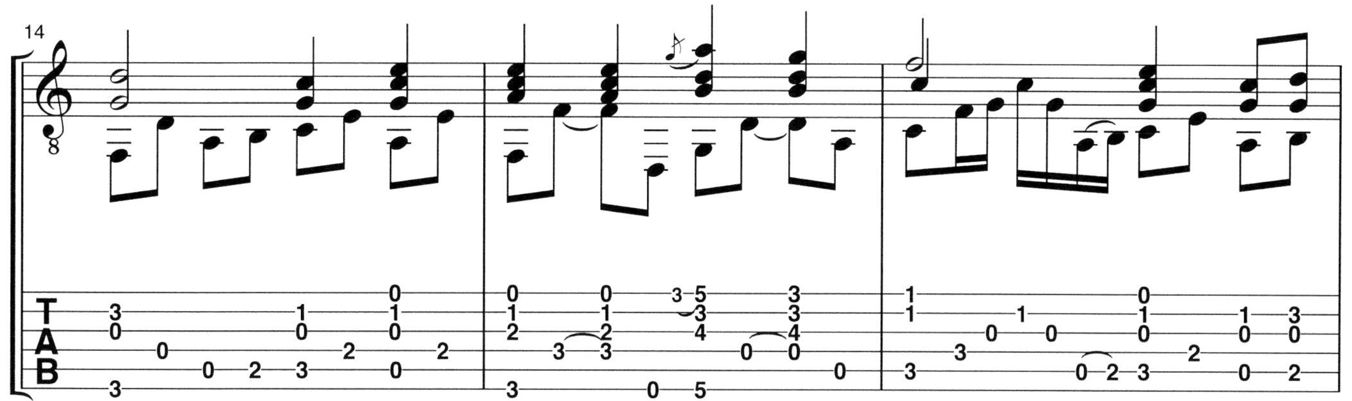
14

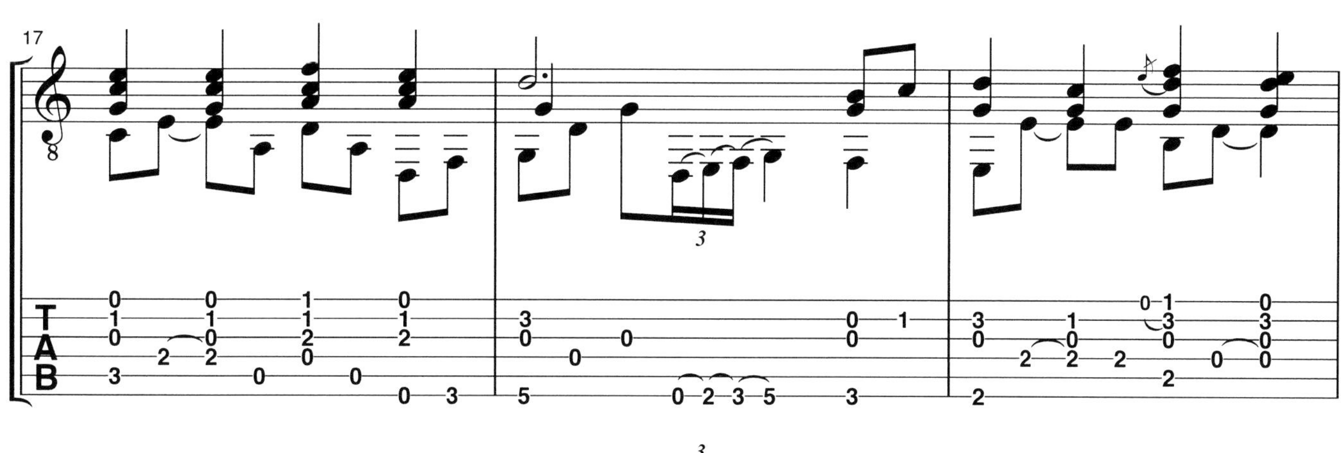
17

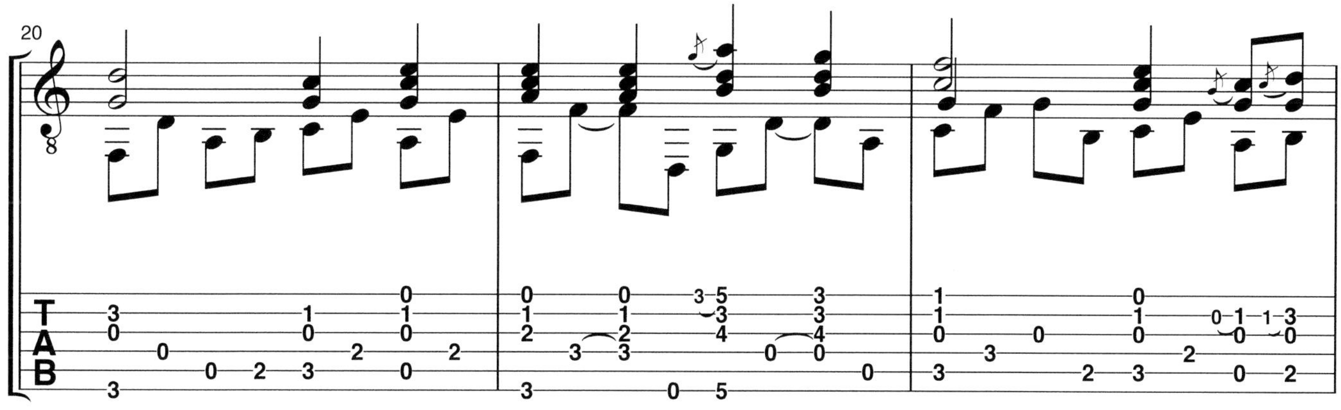
20

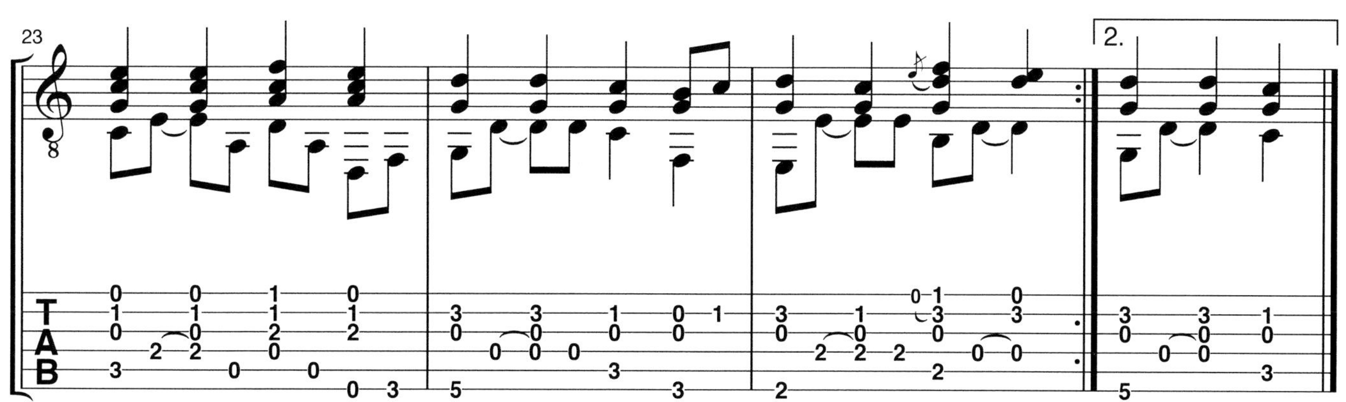
23
2.

Der Mond ist aufgegangen

Der Mond ist aufgegangen,
die goldnen Sternlein prangen
am Himmel hell und klar;
der Wald steht schwarz und schweiget,
und aus den Wiesen steiget
der weiße Nebel wunderbar.

Wie ist die Welt so stille
und in der Dämmrung Hülle
so traulich und so hold,
als eine stille Kammer,
wo ihr des Tages Jammer
verschlafen und vergessen sollt!

Seht ihr den Mond dort stehen?
Er ist nur halb zu sehen,
und ist doch rund und schön!
So sind wohl manche Sachen,
die wir getrost verlachen,
weil unsre Augen sie nicht sehen.

Wir stolze Menschenkinder
sind eitel arme Sünder
und wissen gar nicht viel;
wir spinnen Luftgespinste
und suchen viele Künste
und kommen weiter von dem Ziel.

Gott, lass dein Heil uns schauen,
auf nichts Vergänglichs trauen,
nicht Eitelkeit uns freun;
lass uns einfältig werden
und vor dir hier auf Erden
wie Kinder fromm und fröhlich sein!

Wollst endlich sonder Grämen
Aus dieser Welt uns nehmen
Durch einen sanften Tod!
Und, wenn du uns genommen,
Lass uns in Himmel kommen,
Du unser Herr und unser Gott!

So legt euch denn ihr Brüder
in Gottes Namen nieder.
Kalt ist der Abendhauch.
Verschon uns, Gott, mit Strafen
und lass uns ruhig schlafen
und unsern kranken Nachbarn auch.

13. Zum Tanze da geht ein Mädel

Melodie: Volkslied (19. Jahrhundert), Bearbeitung: Ulli Bögershausen
Text: Traditionell (1908)

Standard Tuning, Capo II

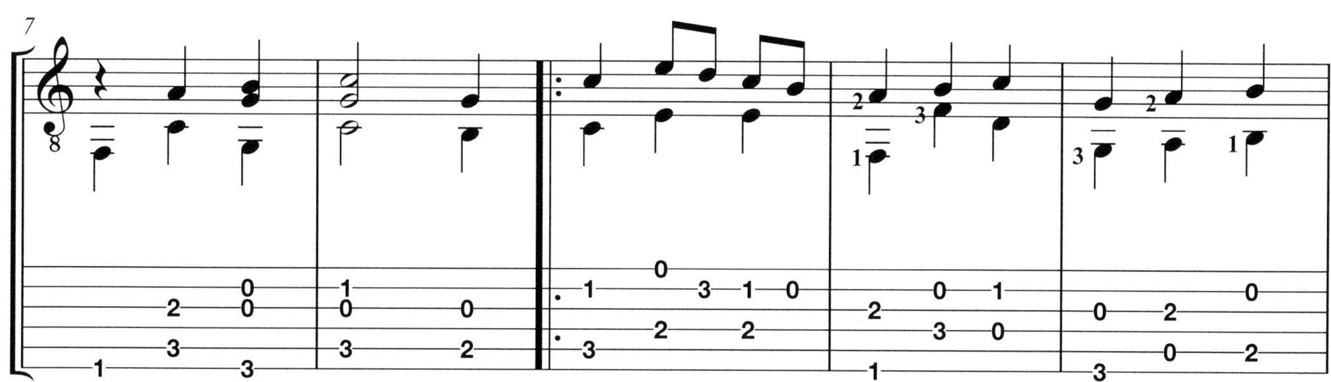

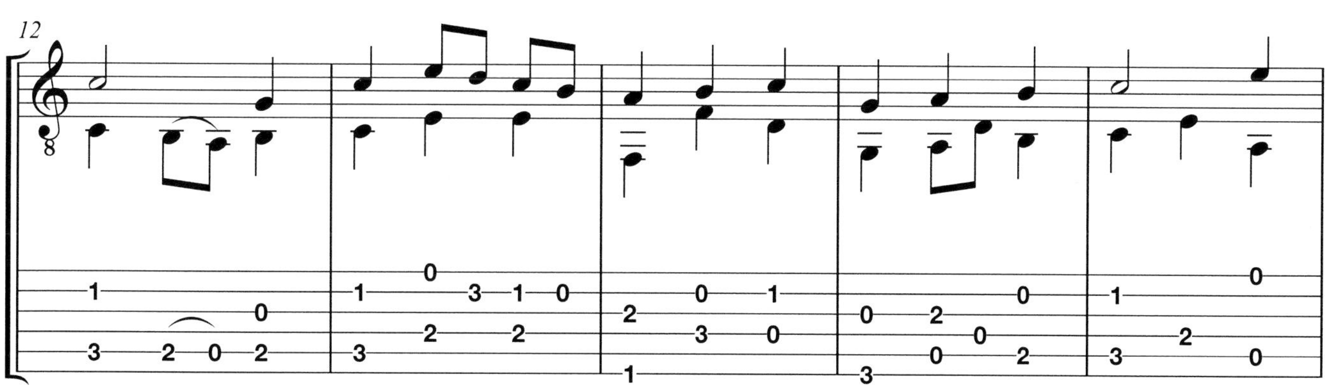

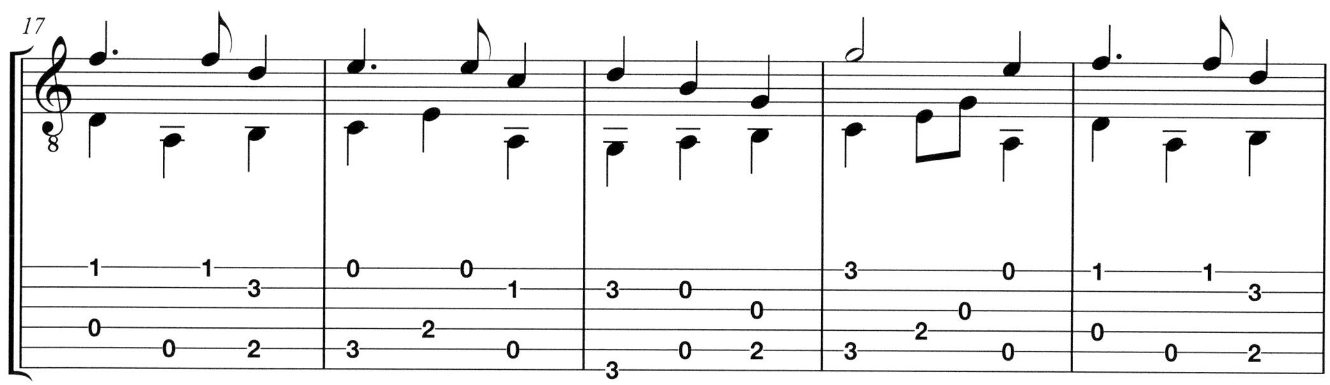

22
27
31
1.
2.
36
41

Zum Tanze da geht ein Mädel mit güldenem Band.
Zum Tanze da geht ein Mädel mit güldenem Band.
Das schlingt sie dem Burschen gar fest um die Hand.
Das schlingt sie dem Burschen gar fest um die Hand.

Mein herzallerliebstes Mädel, so laß mich doch los,
Mein herzallerliebstes Mädel, so laß mich doch los,
ich lauf dir gewißlich auch so nicht davon,
ich lauf dir gewißlich auch so nicht davon

Kaum löset die schöne Jungfer das güldene Band,
Kaum löset die schöne Jungfer das güldene Band,
da war in den Wald schon der Bursche gerannt,
da war in den Wald schon der Bursche gerannt.

14. Schwesterlein, Schwesterlein, wann geh'n wir nach Haus?

Melodie: Anton Wilhelm von Zuccalmaglio (1838), Bearbeitung: Ulli Bögershausen
Text: A. W. von Zuccalmaglio (1838)

Standard Tuning

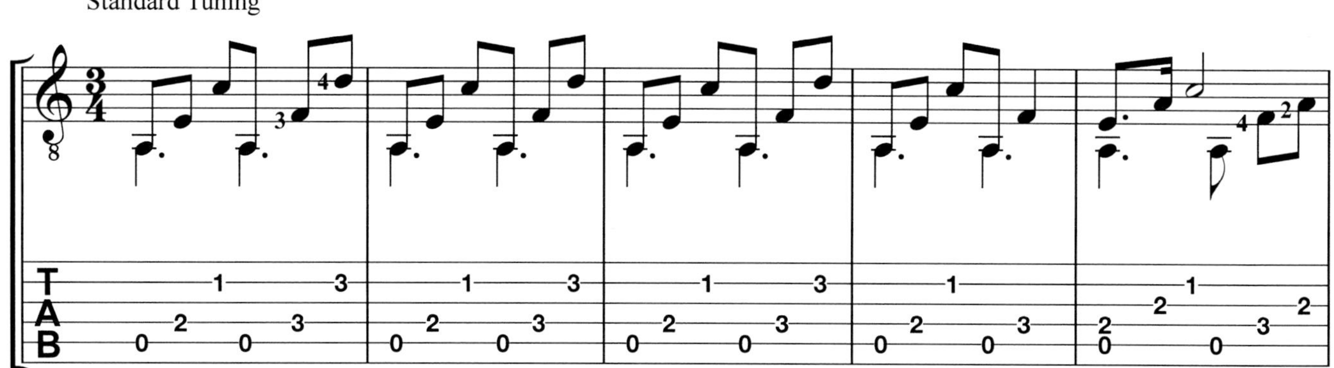

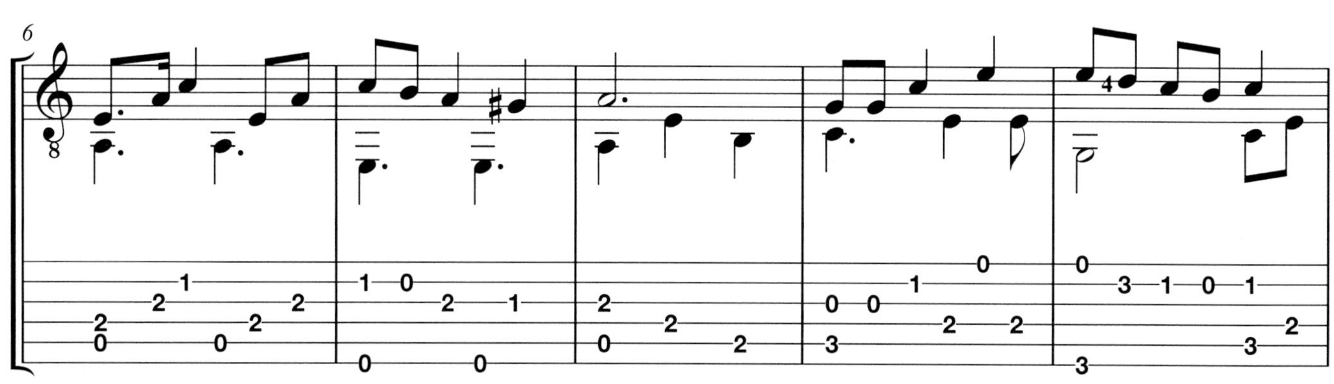

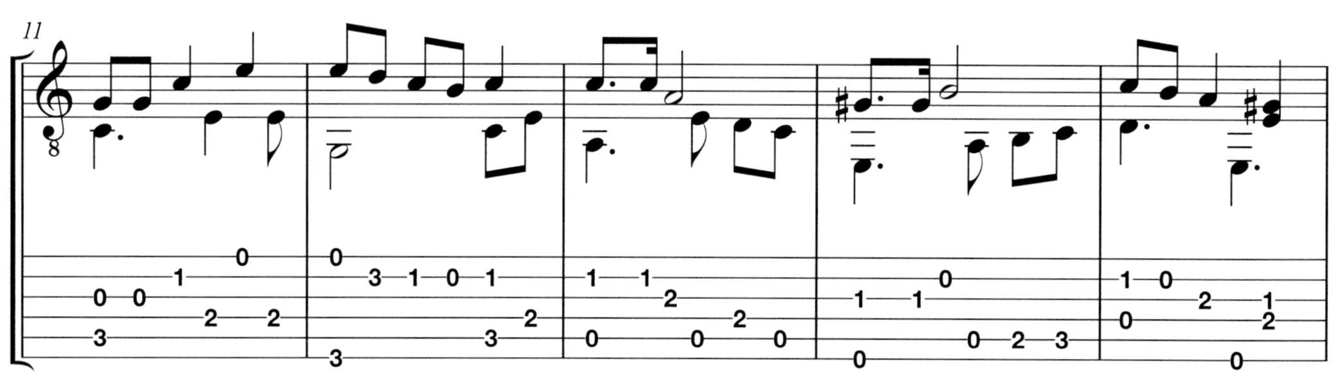

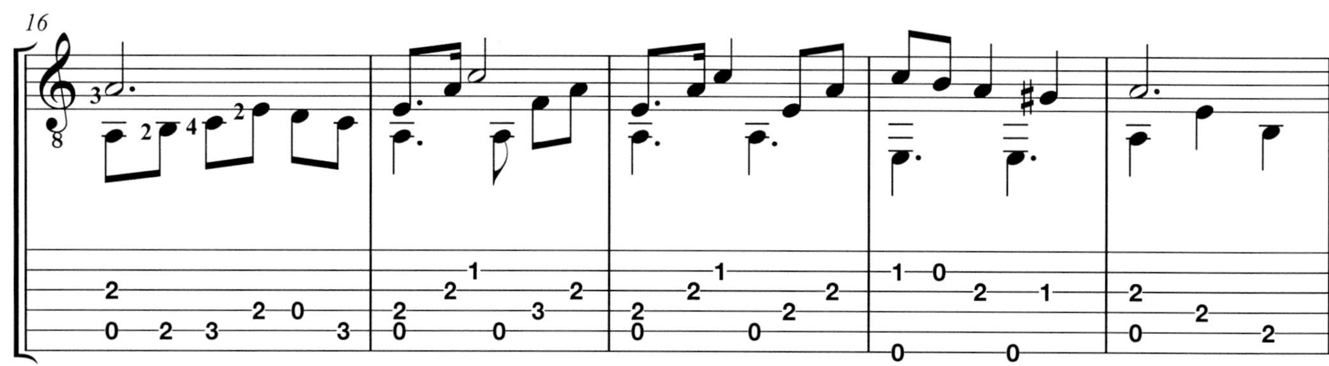

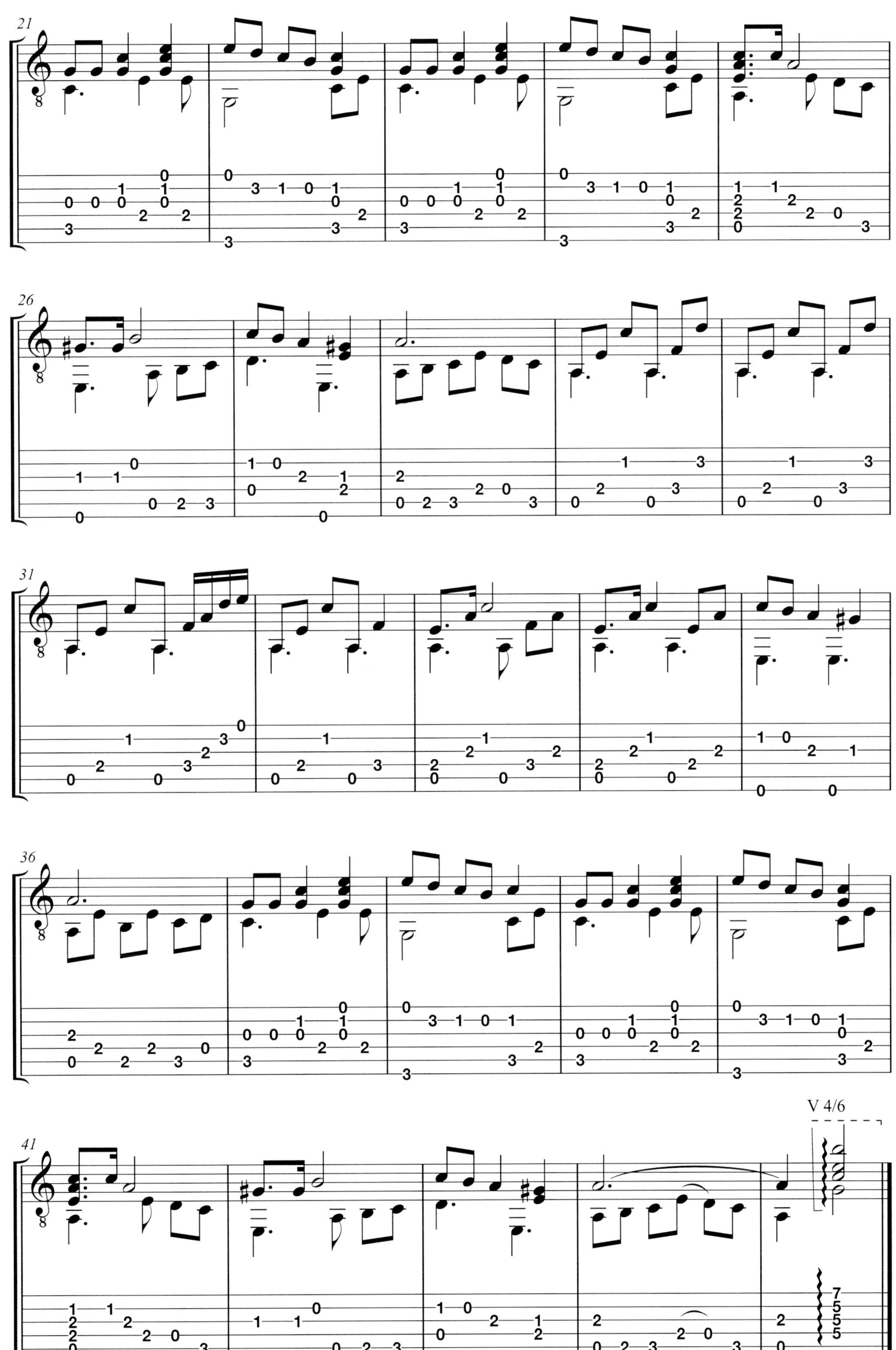
V 4/6

Schwesterlein, Schwesterlein, wann geh'n wir nach Haus?

Schwesterlein, Schwesterlein, wann geh'n wir nach Haus?
Früh, wenn die Hähne krähn,
wolln wir nach Hause geh'n,
Brüderlein, Brüderlein, dann geh'n wir nach Haus.

Schwesterlein, Schwesterlein, wann geh'n wir nach Haus?
Früh, wenn der Tag anbricht,
eh end't die Freude nicht,
Brüderlein, Brüderlein, der fröhliche Braus.

Schwesterlein, Schwesterlein, wohl ist es nun Zeit!
Mein Liebster tanzt mit mir,
geh ich, tanzt er mit ihr,
Brüderlein, Brüderlein, laß du mich heut!

Schwesterlein, Schwesterlein, du bist ja so blaß?
Das ist der Morgenschein
auf meinen Wängelein,
Brüderlein, Brüderlein, die vom Taue naß.

Schwesterlein, Schwesterlein, du wankest so matt!
Suche die Kammertür,
suche mein Bettlein mir!
Brüderlein, es wird fein unterm Rasen sein.

Feinsliebchen, du sollst mir nicht barfuß geh'n

Feinsliebchen, du sollst mir nich barfuß geh'n,
du zertrittst dir die zarten Füßlein schön,
tralalala, tralalala!
du zertrittst dir die zarten Füßlein schön.

Wie sollte ich denn nicht barfuß geh'n,
hab keine Schuh ja anzuziehn,
tralalala, tralalala!
hab keine Schuh ja anzuziehn.

Feinsliebchen, willst du mein eigen sein,
so kaufe ich dir ein Paar Schühlein fein,
tralalala, tralalala!
so kaufe ich dir ein Paar Schühlein fein.

Wie könnte ich denn Euer eigen sein,
ich bin ein armes Mägdelein,
tralalala, tralalala!
ich bin ein armes Mägdelein

Und bist du auch arm, so nehm ich dich doch,
du hast ja die Ehr und die Treue noch,
tralalala, tralalala!
du hast ja die Ehr und die Treue noch.

Die Ehr und die Treue mir keiner nahm,
ich bin, wie ich von der Mutter kam,
tralalala, tralalala!
ich bin, wie ich von der Mutter kam.

Und Ehr und Treu ist besser wie Geld,
ich nehm mir ein Weib, das mir gefällt,
tralalala, tralalala!
ich nehm mir ein Weib, das mir gefällt.

Was zog er aus seiner Tasche fein,
von blauer Seide sind's Strümpfelein,
tralalala, tralalala!
von blauer Seide sind's Strümpfelein.

Sie setzte sich nieder auf einen Stein,
und zog die Strümpfe an ihre Bein,
tralalala, tralalala!
und zog die Strümpfe an ihre Bein.

Was zog er aus seiner Tasche dazu,
von blauem Leder ein Paar Schuh,
tralalala, tralalala!
von blauem Leder ein Paar Schuh!

Sie zog die Schühlein an den Fuß,
und dankte ihm gar sehr dazu,
tralalala, tralalala!
und dankte ihm gar sehr dazu.

Was zog er aus seiner Taschen fein?
Von lauter Gold ein Ringelein,
tralalala, tralalala!
von lauter Gold ein Ringelein.

15. Feinsliebchen, du sollst mir nicht barfuß geh'n

Melodie: Johannes Brahms (1894), Bearbeitung: Ulli Bögershausen
Text: A. W. von Zuccalmaglio (1840)

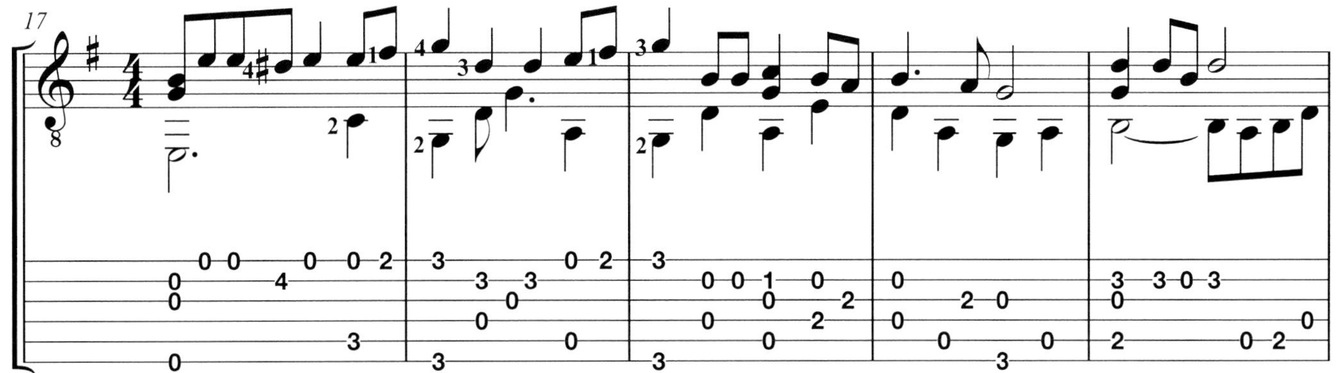
17

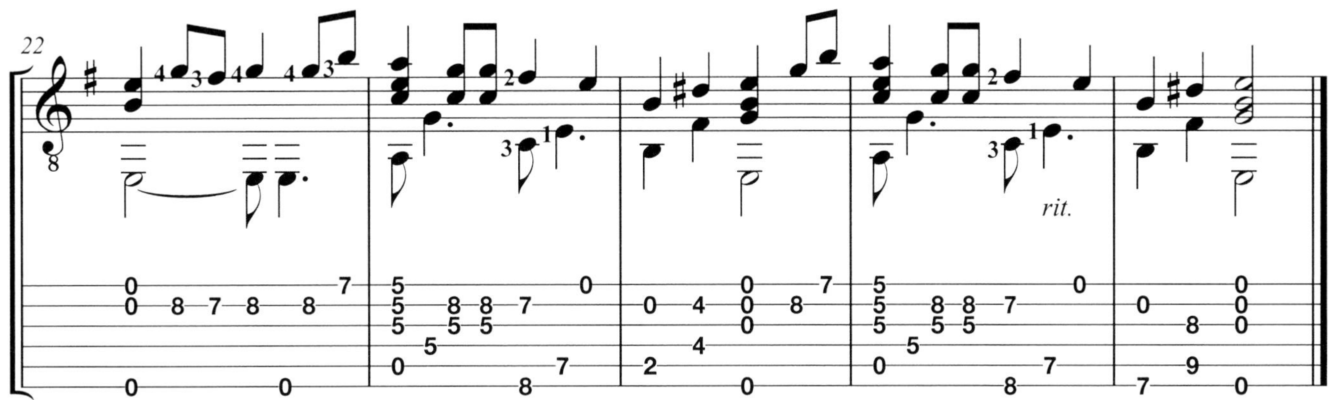
22
rit.

16. Ännchen von Tharau

Melodie: Friedrich Silcher (1827), Bearbeitung: Ulli Bögershausen
Text: Ursprünglich von Simon Dach (1636), Übertragung von Johann Gottlieb Herder (1778)

Standard Tuning, Capo III

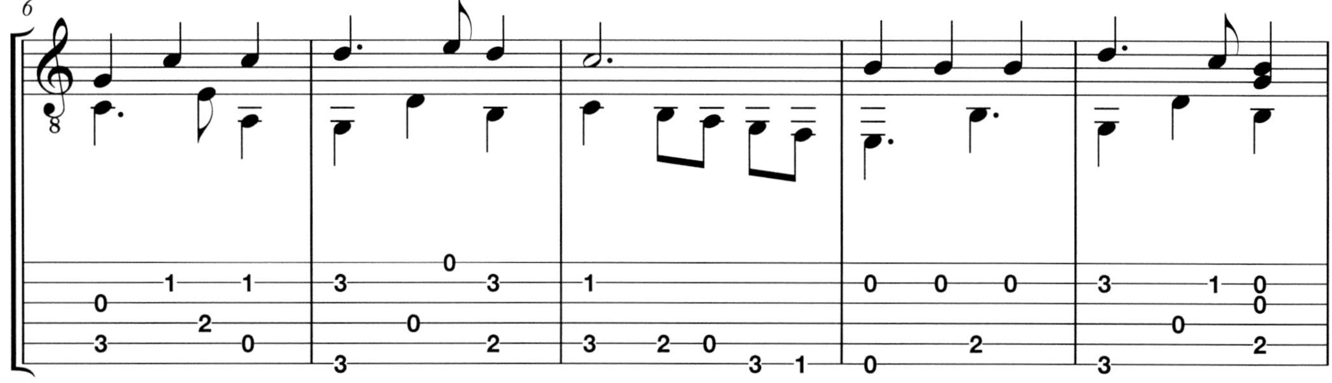

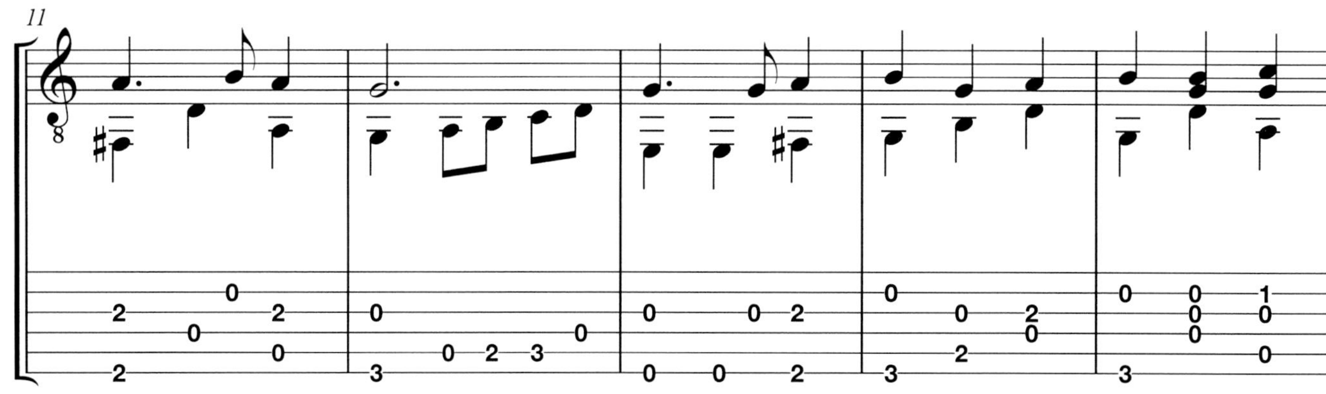

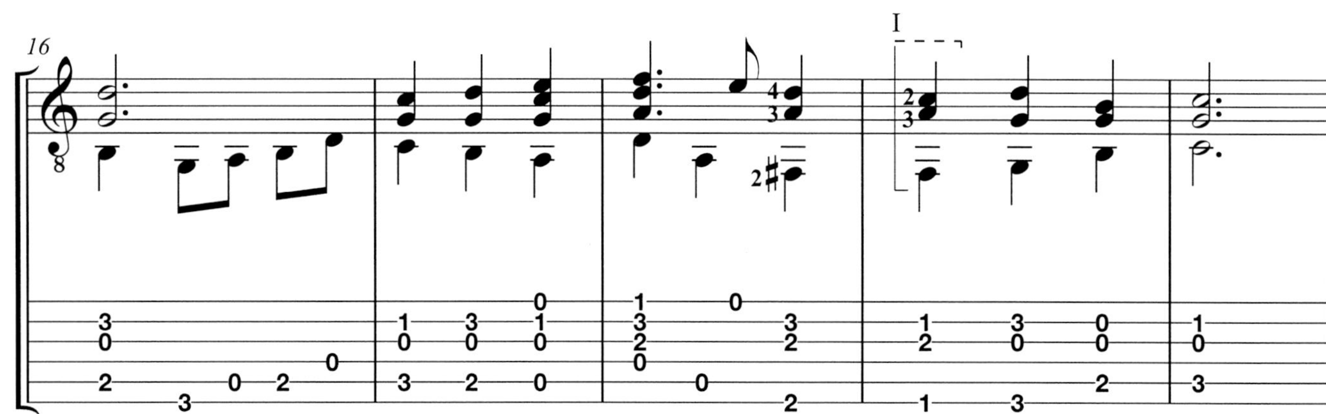

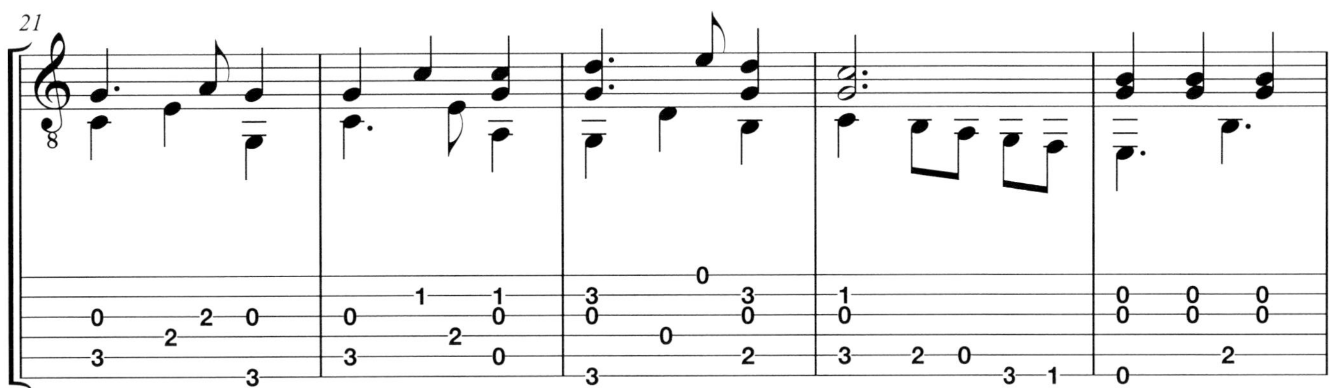
21

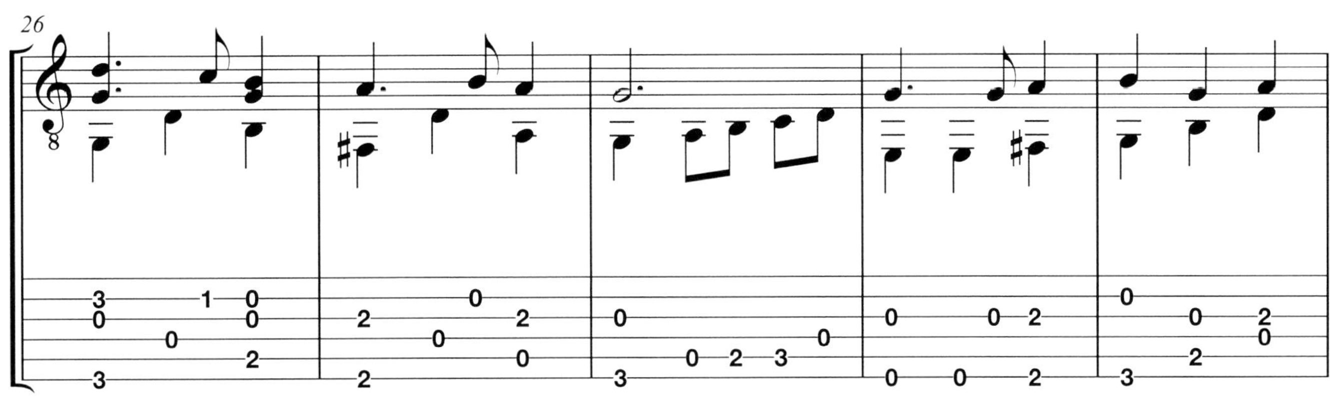
26

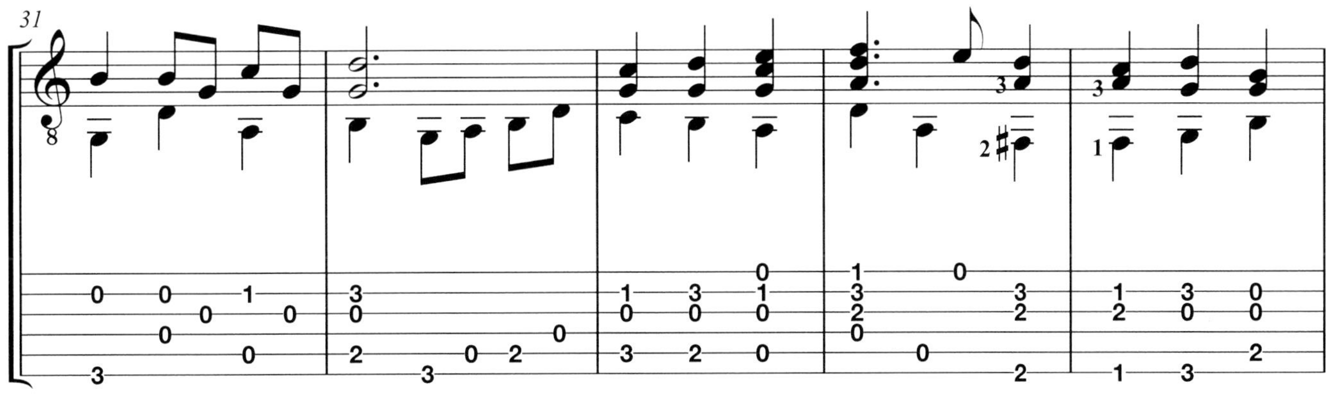
31

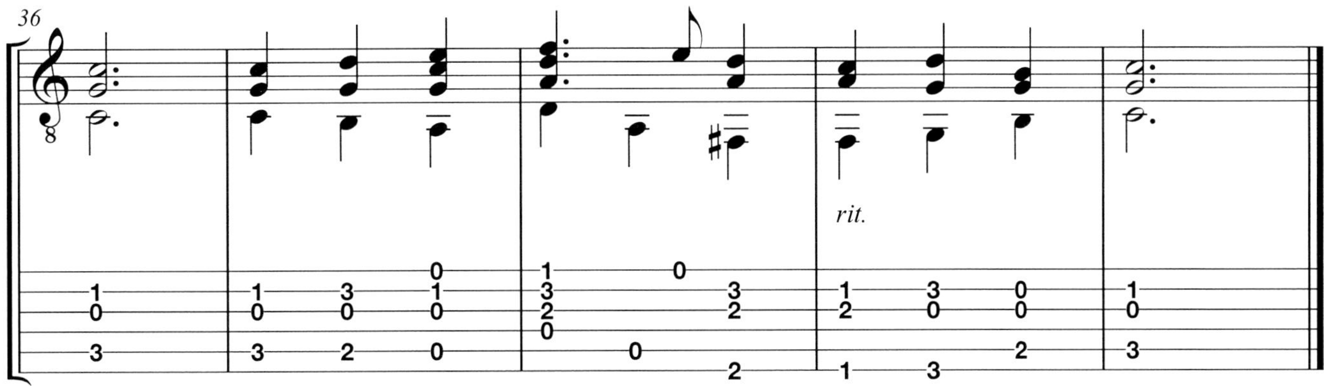
36
rit.

Ännchen von Tharau

Ännchen von Tharau ist, die mir gefällt.
Sie ist mein Leben, mein Gut und mein Geld.
Ännchen von Tharau hat wieder ihr Herz
auf mich gerichtet in Lieb' und in Schmerz.
Ännchen von Tharau, mein Reichtum, mein Gut,
du meine Seele, mein Fleisch und mein Blut.

Käm alles Wetter gleich auf uns zu schlahn,
wir sind gesinnt, beieinander zu stahn.
Krankheit, Verfolgung, Betrübnis und Pein
soll unsrer Liebe Verknotigung sein.
Ännchen von Tharau, mein Reichtum, mein Gut,
du meine Seele, mein Fleisch und mein Blut.

Recht als ein Palmenbaum über sich steigt,
je mehr ihn Hagel und Regen anficht,
so wird die Lieb in uns mächtig und groß
durch Kreuz, durch Leiden, durch mancherlei Not.
Ännchen von Tharau, mein Reichtum, mein Gut,
du meine Seele, mein Fleisch und mein Blut.

Würdest du gleich einmal von mir getrennt,
lebtest da, wo man die Sonne kaum kennt,
ich will dir folgen durch Wälder, durch Meer,
Eisen und Kerker und feindliche Heer.
Ännchen von Tharau, mein Licht, meine Sonn,
mein Leben schließ ich um deines herum.

Bunt sind schon die Wälder

Bunt sind schon die Wälder,
gelb die Stoppelfelder,
und der Herbst beginnt.
Rote Blätter fallen,
graue Nebel wallen,
kühler weht der Wind.

Wie die volle Traube
aus dem Rebenlaube
purpurfarbig strahlt!
Am Geländer reifen
Pfirsiche, mit Streifen
rot und weiß bemalt.

Flinke Träger springen,
und die Mädchen singen,
alles jubelt froh!
Bunte Bänder schweben
zwischen hohen Reben
auf dem Hut von Stroh.

Geige tönt und Flöte
bei der Abendröte
und im Mondesglanz;
junge Winzerinnen
winken und beginnen
frohen Erntetanz.

17. Bunt sind schon die Wälder

Melodie: Johann Gaudenz Freiherr von Salis-Seewis (1782), Bearbeitung: Ulli Bögershausen
Text: Johann Friedrich Reichardt (1799)

Dropped D Tuning, Capo II

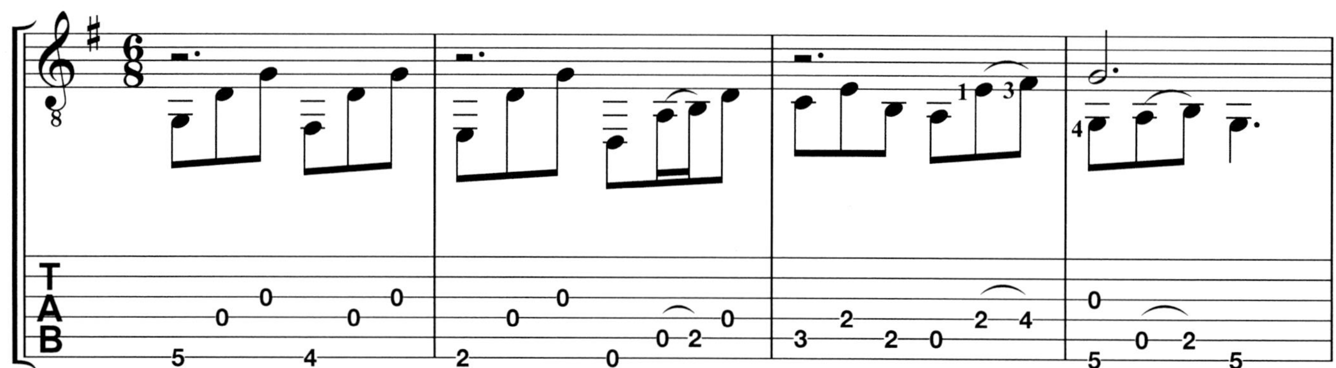

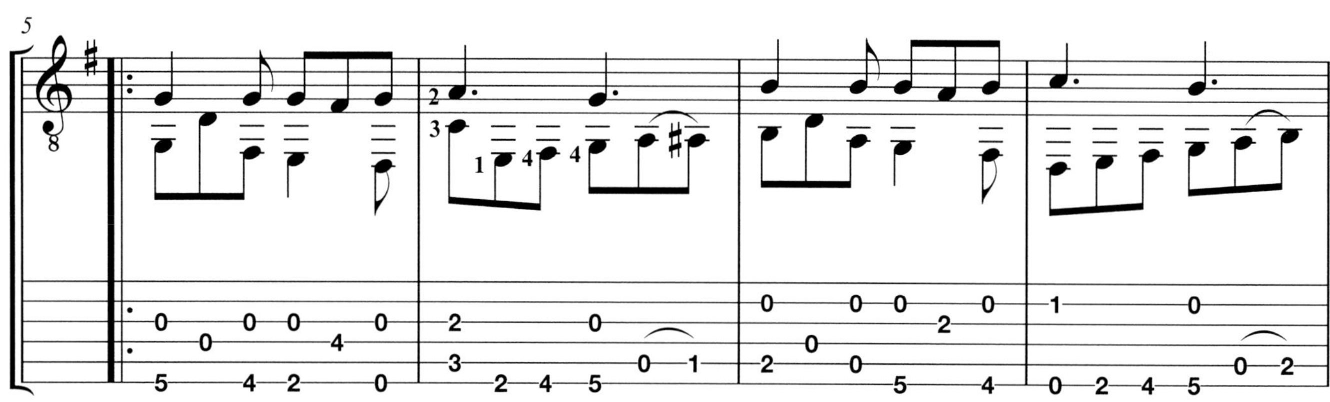

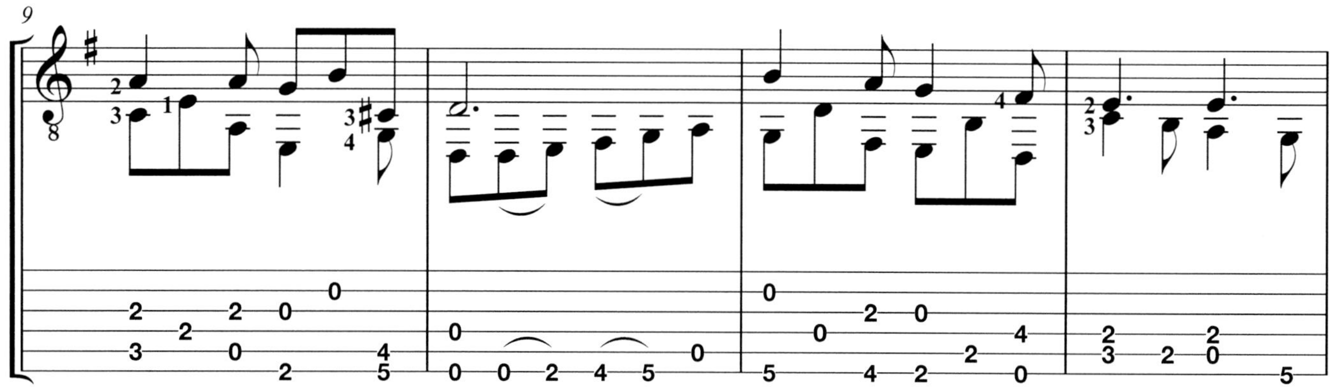

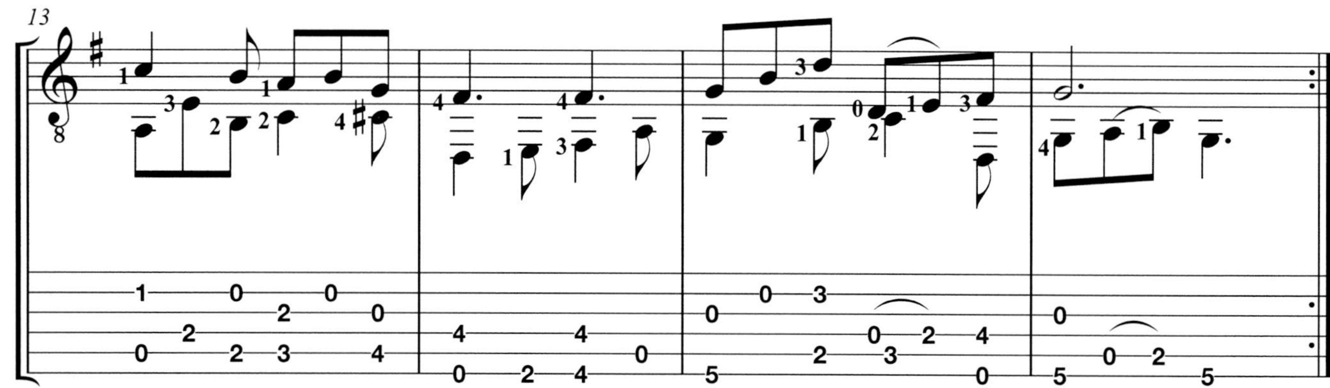

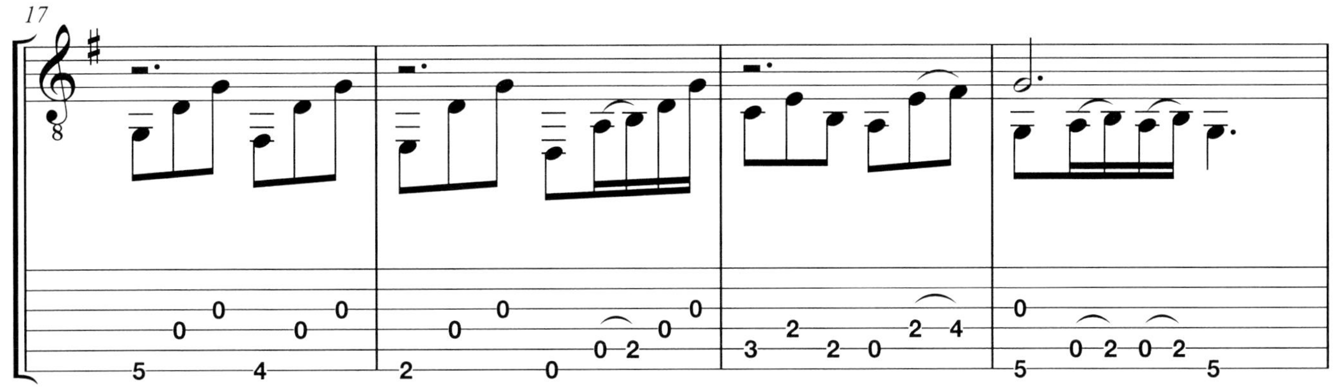
17

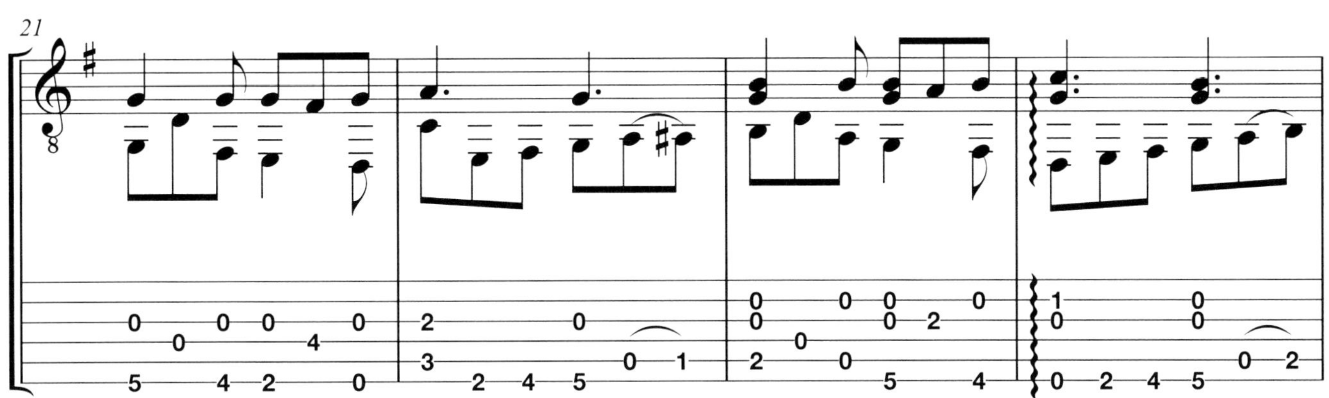
21

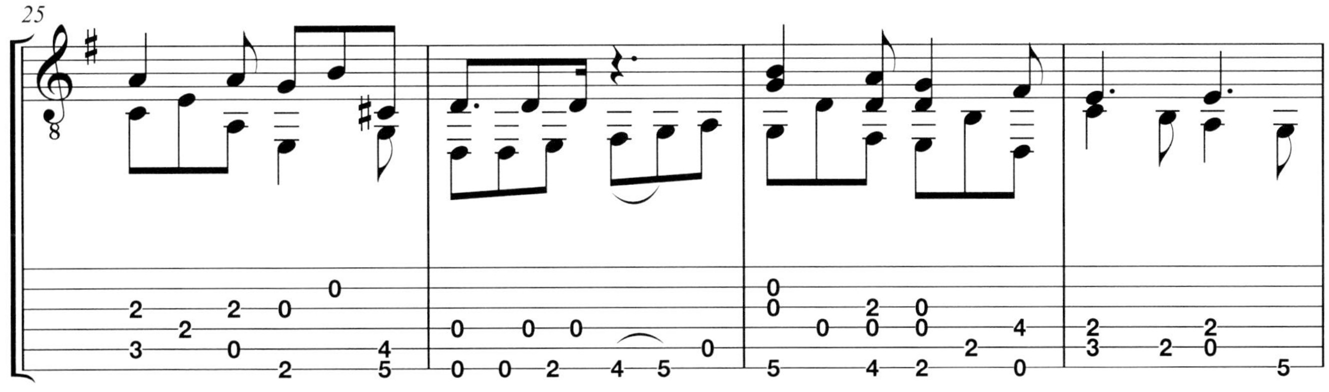
25

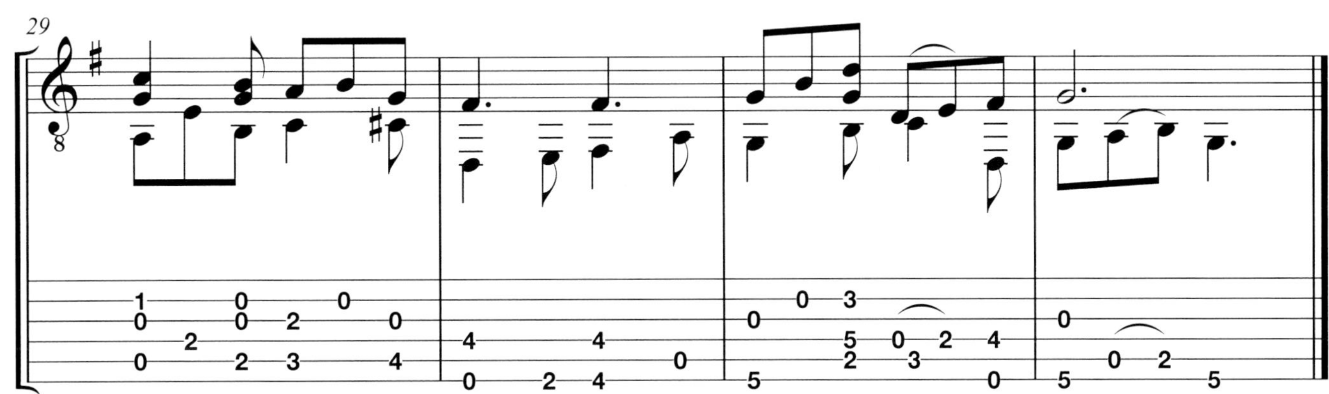
29

18. Wenn alle Brünnlein fließen

Melodie: Volkslied, erste Übertragung von Friedrich Silcher (1855)
Bearbeitung: Ulli Bögershausen
Text: Traditionell, 16. Jahrhundert

Dropped D Tuning, Capo IV

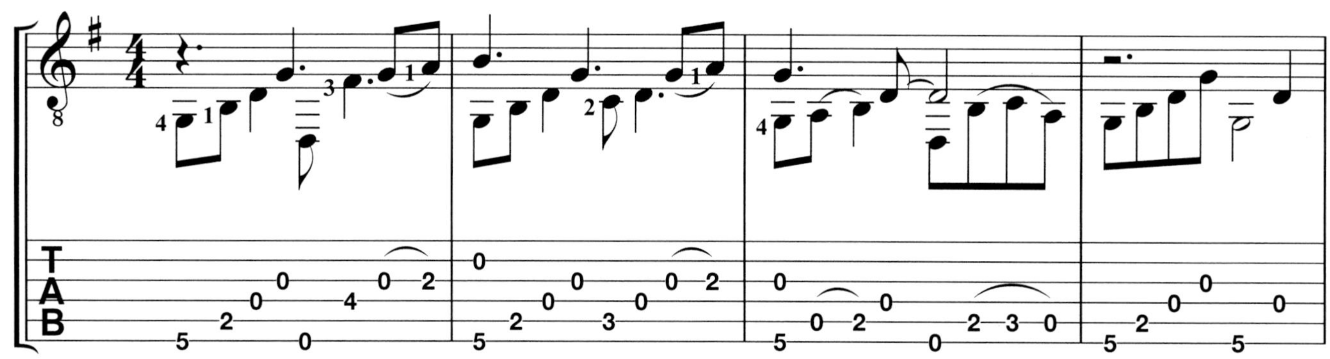

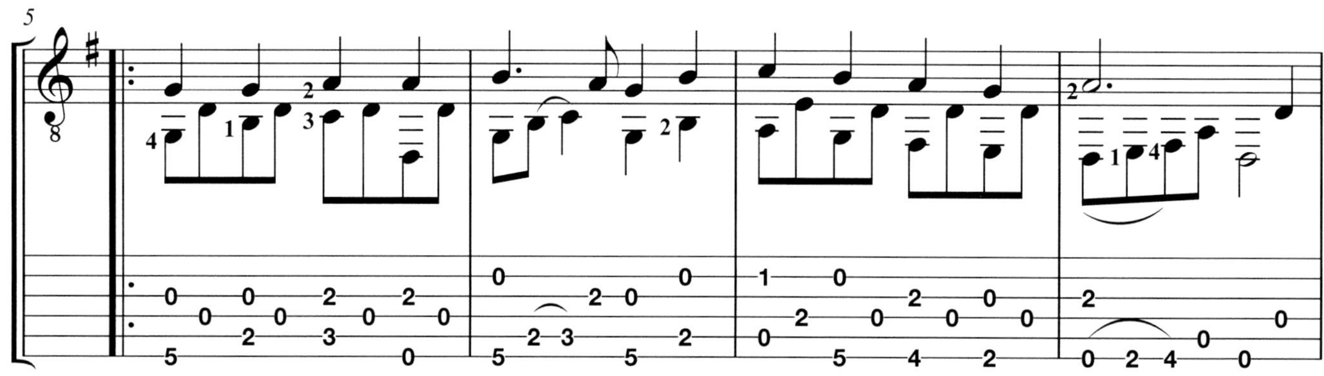

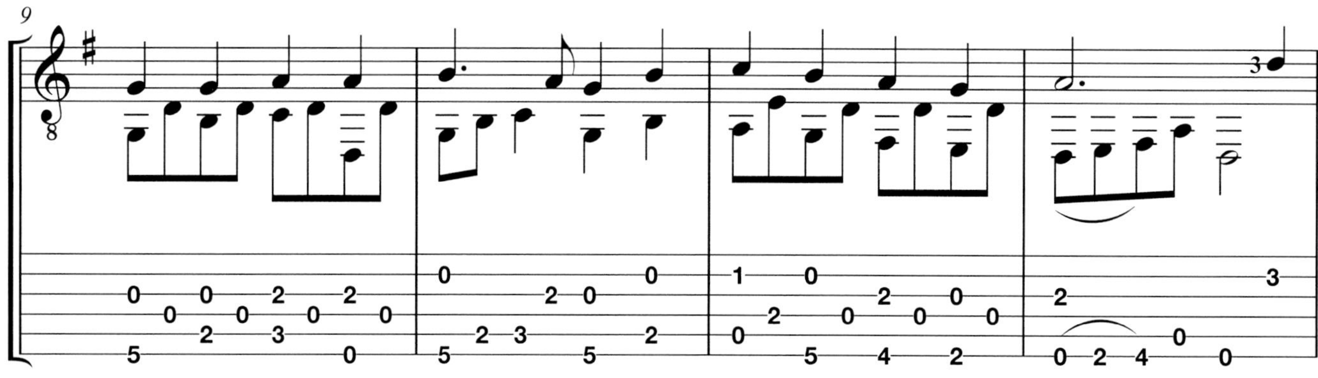

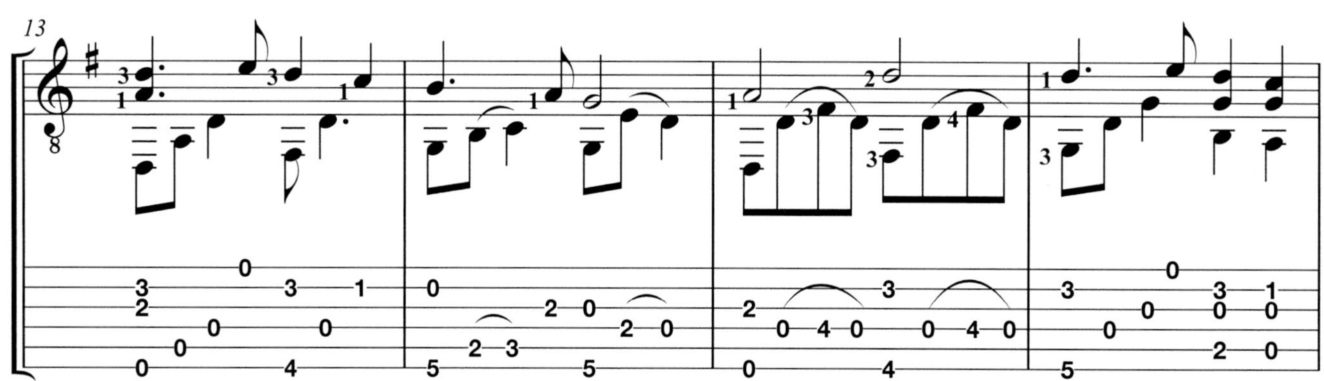

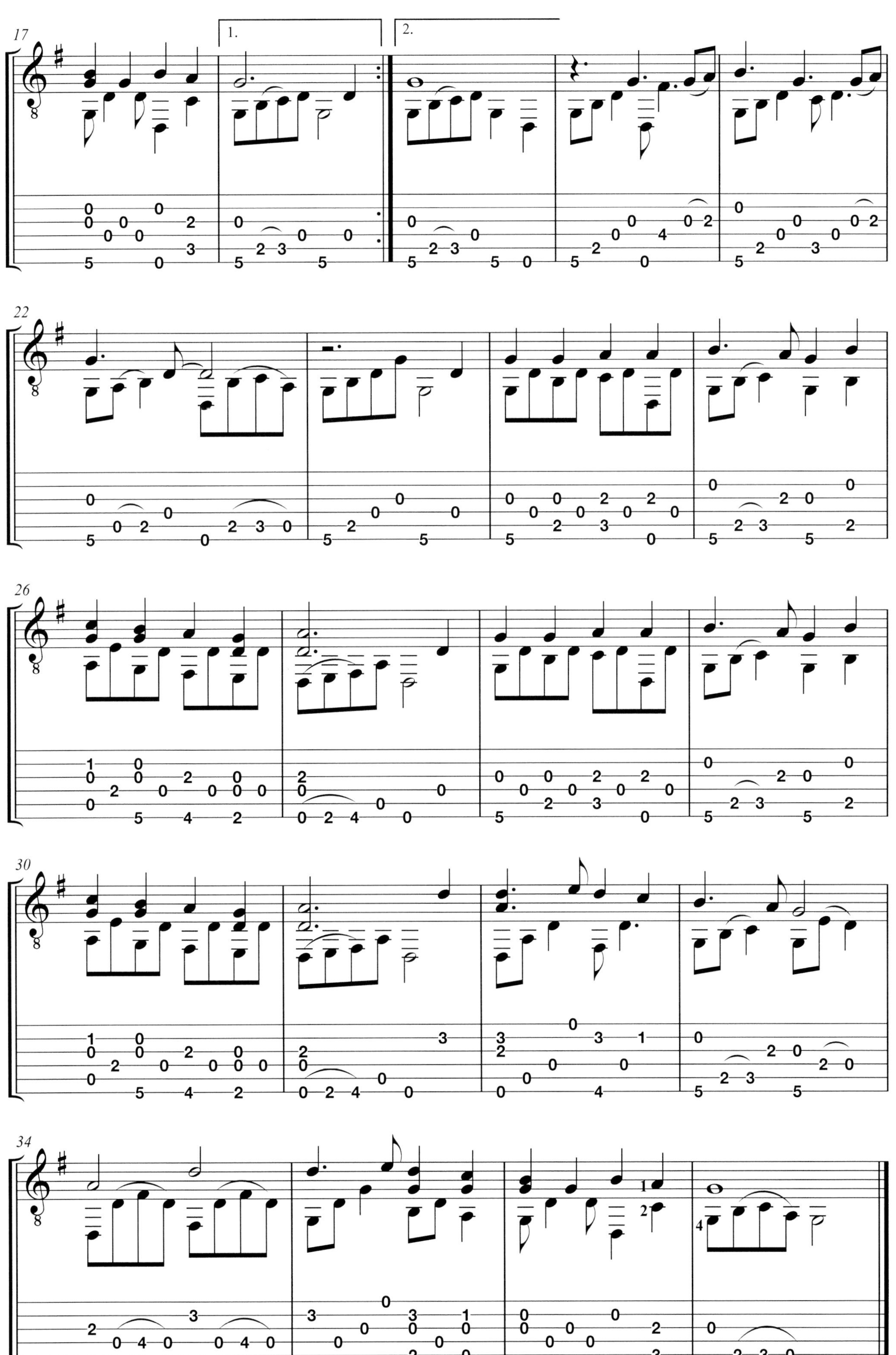
17
1.
2.
22
26
30
34

Wenn alle Brünnlein fließen

Wenn alle Brünnlein fließen,
so muss man trinken,
wenn ich mein Schatz nicht rufen darf,
tu ich ihm winken.
Wenn ich mein Schatz nicht rufen darf,
Ju ja rufen darf,
tu ich ihm winken.

Ja winken mit den Äugelein
und treten auf den Fuß:
Ist eine in der Stube drin,
Ju, ja, Stube drin,
die mir noch werden muß.

Warum soll sie's nicht werden?
Ich seh sie gar zu gern.
Sie hat zwei schwarzbraun Äugelein,
Ju, ja, Äugelein,
sind heller als der Stern.

Sie hat zwei rote Bäckelein,
sind röter als der Wein.
Ein solches Mädchen findst du nicht,
Ju, ja, findt man nicht,
wohl unterm Sonnenschein.

19. Kein Feuer, keine Kohle

Melodie: Volkslied (18. Jahrhundert), Bearbeitung: Ulli Bögershausen
Text: Traditionell (18. Jahrhundert)

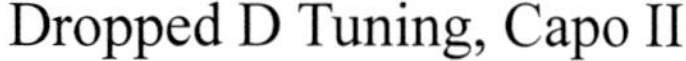

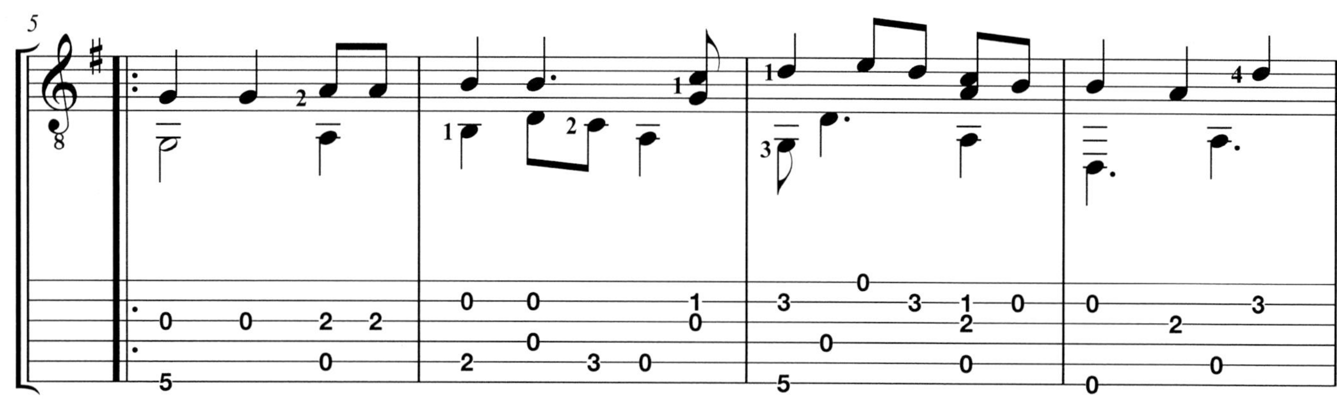

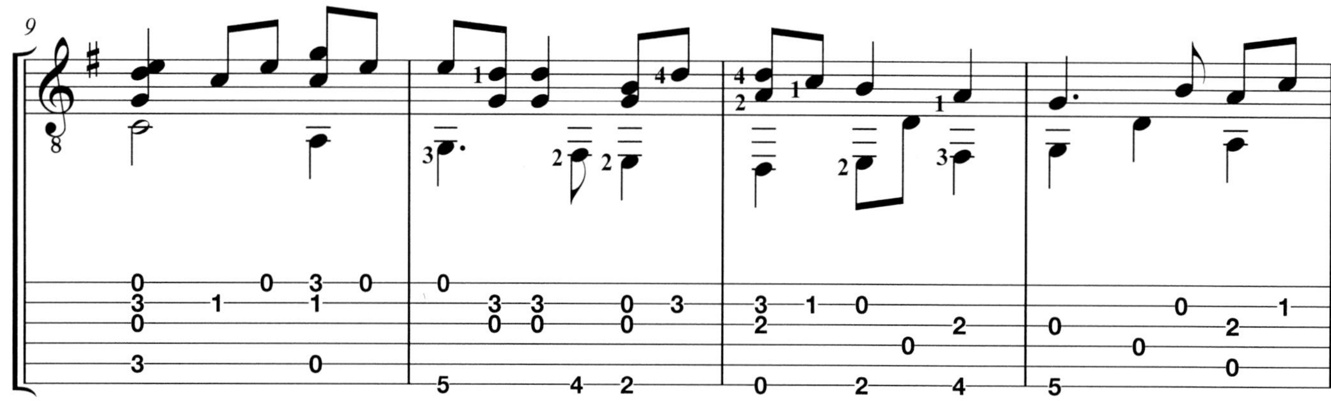

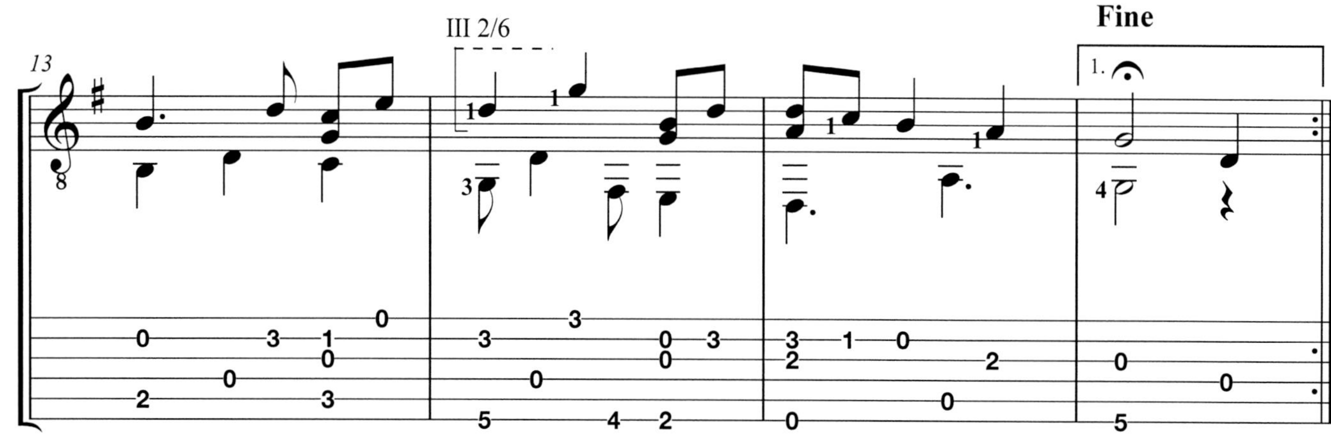

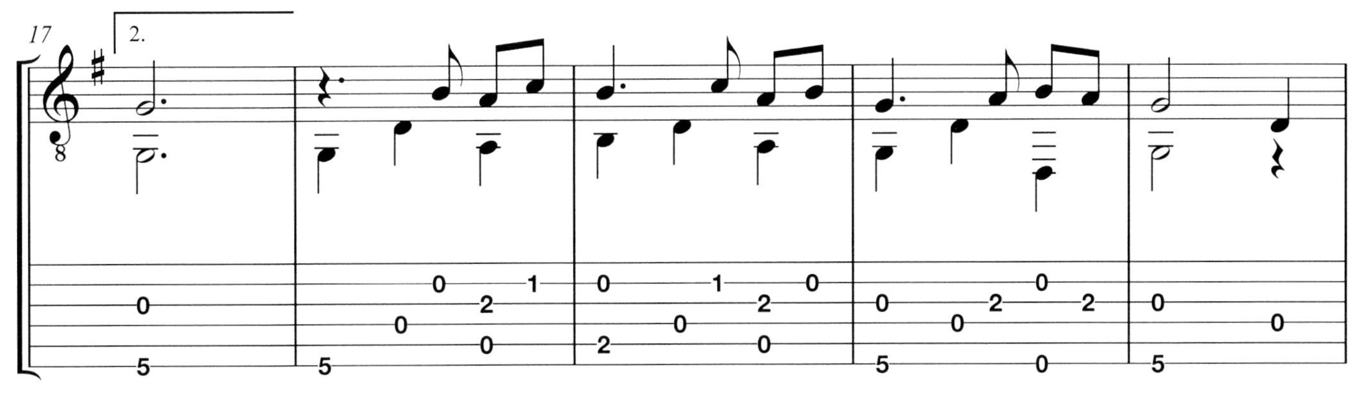

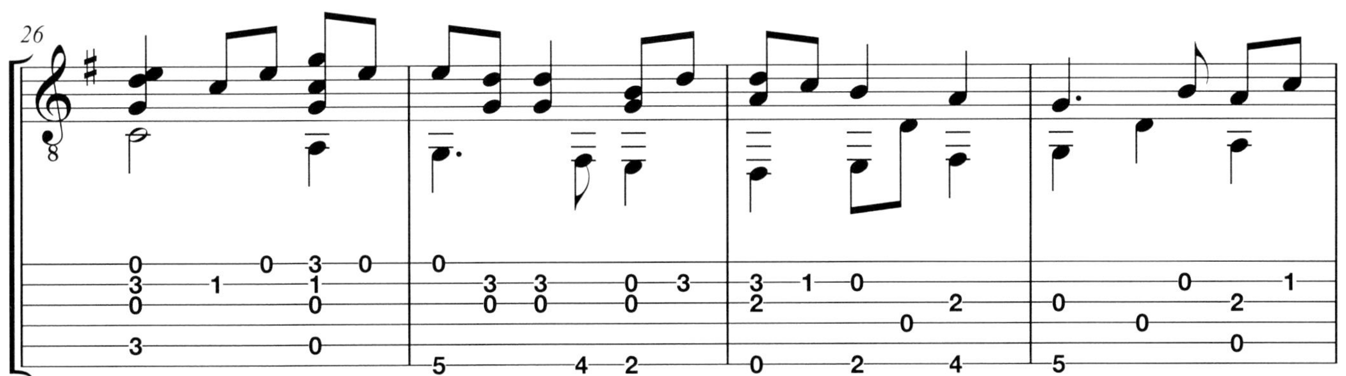

Kein Feuer, keine Kohle
kann brennen so heiß,
als heimliche Liebe,
von der niemand nichts weiß,
von der niemand nichts weiß.

Keine Rose, keine Nelke
kann blühen so schön,
als wenn zwei verliebte Seelen
beieinander tun stehn.

Setze du mir einen Spiegel
ins Herze hinein,
damit du kannst sehen,
wie so treu ich es mein.

20. Da unten im Tale

Melodie: Johannes Brahms (1894), Bearbeitung: Ulli Bögershausen
Text: Traditionell aus Schwaben (vor 1832)

Standard Tuning, Capo II

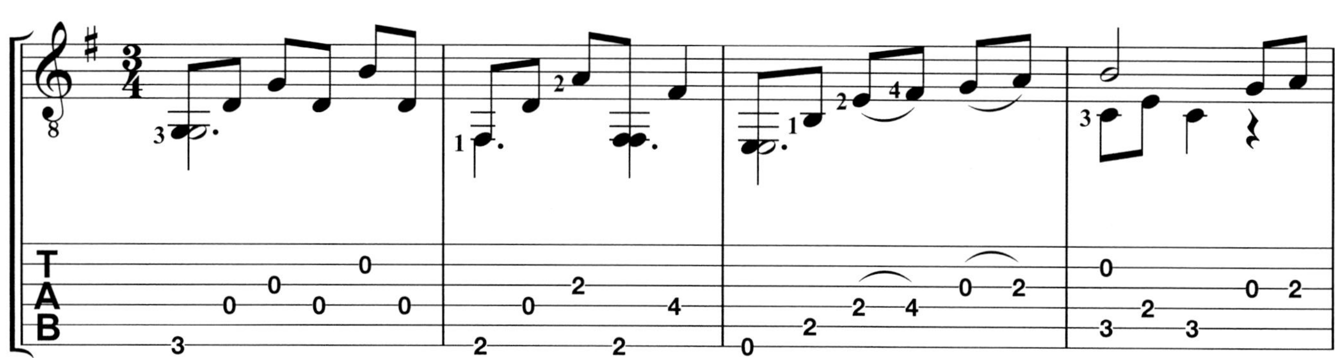

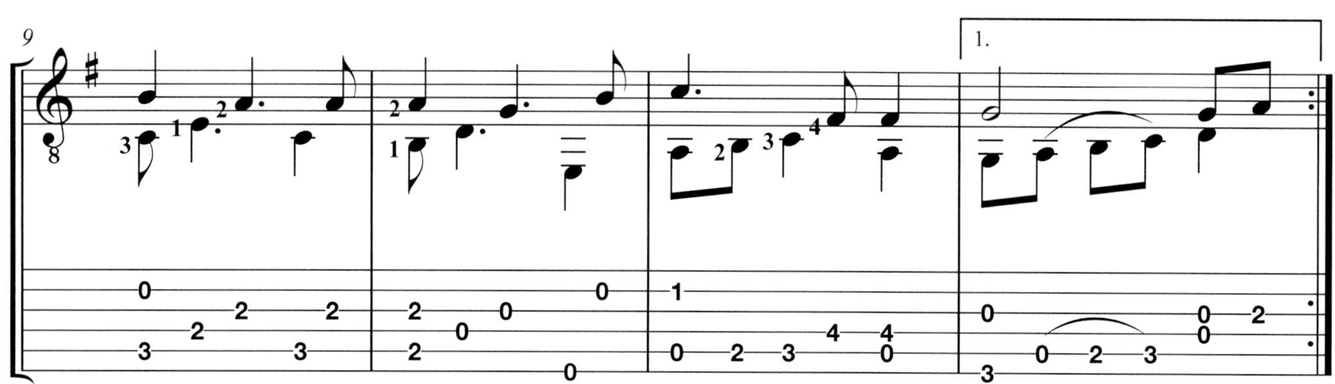

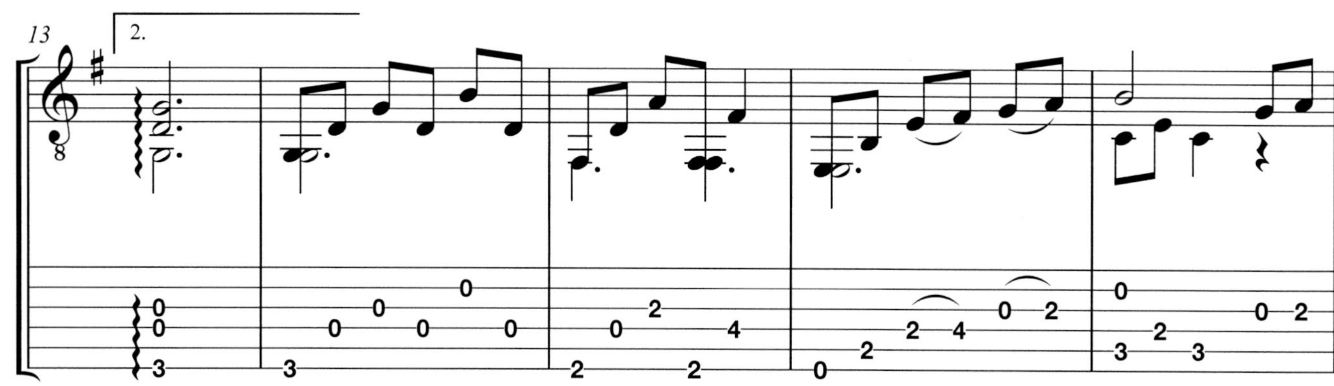

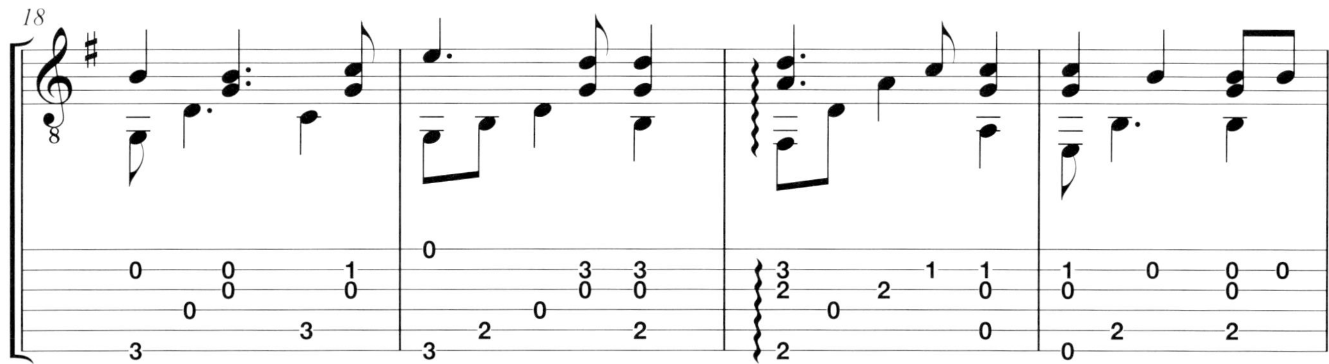

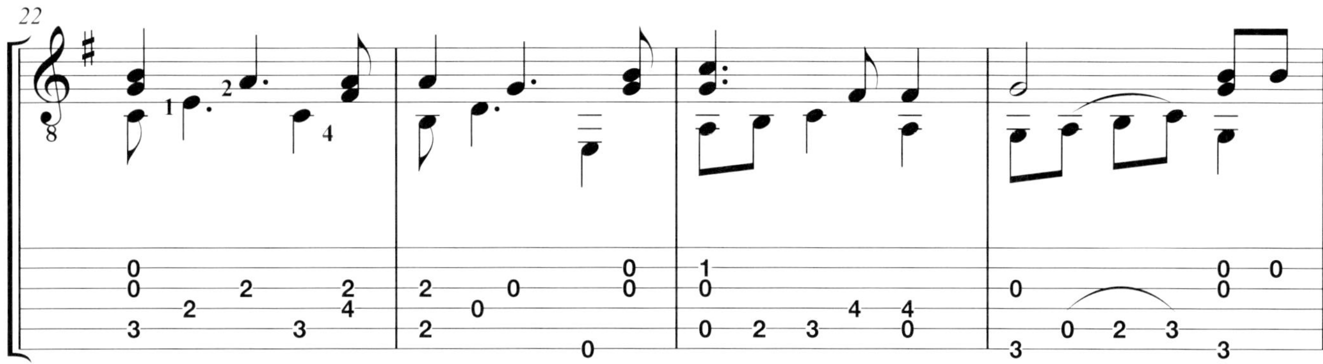

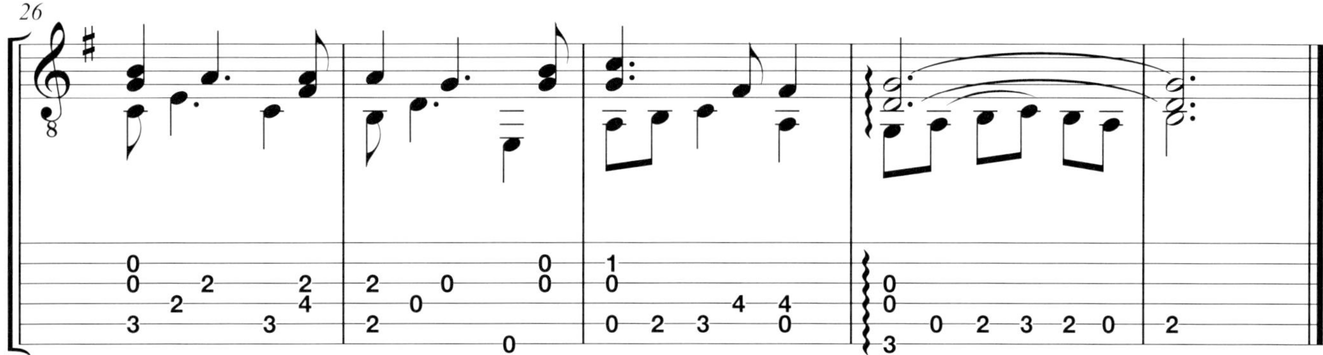

Da unten im Tale läuft's Wasser so trüb
und i kann dir's nit sagen i hab di so lieb.

Sprichst allweil von Lieb', sprichst allweil von Treu'
und a bissele Falschheit ist au wohl dabei!

Und wenn i dir's zehnmal sag', daß i di lieb
und du willst nit verstehen, muß weiter i gehn.

Für die Zeit, wo du g'liebt mi hast, dank i dir schön
und i wünsch' daß dir's anderswo besser mag gehn.

Ulli Bögershausen
Lehrwerke & Spielbücher für Fingerstyle Guitar

Ulli Bögershausen gehört seit Jahrzehnten zu den bekanntesten und beliebtesten Fingerstyle-Meistergitarristen. Seine umfangreichen Erfahrungen vermittelt er anschaulich und praxisgerecht in Gitarrenschulen und Spielbüchern, die mittlerweil zum Standard-Repertoire der Unterrichtsliteratur für Fingerstyle Gitarre gehören. Anfänger wie Fortgeschrittene finden vielfältige Anregungen und Spielliteratur, die für das Selbststudium sowie für den Unterricht unverzichtbar geworden sind.

Fingerstyle Guitar von Anfang an.

Die Gitarrenschule für Unterricht und Selbststudium
Noten und Tabulaturen
112 Seiten, mit DVD-ROM
AMB 3150 · 24,90 €

Von Anfang an war eine der ersten deutschen Fingerstyle-Gitarrenschulen und wurde schnell zum Standardwerk. Nun hat Ulli das Lehrwerk völlig überarbeitet, um ein Kapitel zum Thema Arrangieren sowie mit Videos auf DVD zeitgemäß erweitert. Fingerstyle Guitar bietet eine sehr effektive Herangehensweise, das instrumentale Spiel auf der akustischen Gitarre zu erlernen und auszufeilen bis hin zu drei von Ulli Konzertstücken.

Ulli Bögershausen

Personal Favorites

Popsongs for Guitar
Noten und Tabulaturen, 72 Seiten,
Deutsch/Englisch, mit Begleit-CD
AMB 3068 · 22,90 €

Elegante Fingerstyle-Bearbeitungen berühmter Balladen und Songs im mittleren Schwierigkeitsgrad
- Kiss from a Rose (Seal)
- Right Here Waiting for You (R. Marx)
- Time after Time (Cindy Lauper)
- One of Us (Eric Bazilian)
- Mad World (R. Orzabal)
- Manha do Carnaval (Black Orpheus) (L. Bonfa/A. Maria)
- Hit the Road Jack (P. Mayfield)

und Originalkompositionen von Ulli Bögershausen.

Easy Fingerstyle,Vol.1

16 Melodic Tunes for Solo Guitar
Noten und Tabulaturen, 44 Seiten,
mit vollwertiger Audio-CD
AMB 3053 · 20,90 €

Auf diese Ausgabe haben sicherlich schon viele Fingerstyle Gitarristen gewartet! – Eine Sammlung mit leichten, melodiösen Kompositionen, die zwar gewisse spieltechnische Fertigkeiten voraussetzen, aber den Spieler dennoch nicht überfordern. Der Gitarrist, Erfolgsautor und erfahrene Workshopleiter Ulli Bögershausen hat alle 16 Titel auf die Wünsche und Bedürfnisse von leicht fortgeschrittenen bis schon recht erfahrenen Gitarristen zugeschnitten.

Ulli Bögershausen

Christmas Carols

20 Weihnachtslieder
arrangiert für Fingerstyle Gitarre
Noten und Tabulaturen, 56 Seiten,
AMB 3112 · 16,90 €
CD dazu: 3510288.2 · 16,- €

Bekannte und besondere Weihnachtslieder, die sich sowohl als Solostücke zum Vorspiel eignen, als auch mitgesungen werden können.
- Alle Jahre wieder
- Stille Nacht
- Es ist ein Ros' entsprungen
- O, du fröhliche
- Leise rieselt der Schnee
- First Noël
- Hark! The Herald Angels Sing u.v.a.

More Personal Favorites

Pop Songs for Guitar
Noten und Tabulaturen, 64 Seiten
AMB 3130 - 22,90 €

Nach dem großen Erfolg von „Personal Favorites" ha Ulli Bögershausen neue Fingerstyle-Arrangements berühmter Popsongs vorgelegt:
- Bob Dylan: Make You Feel My Love
- Bryan Adams: Everything I Do I Do It For You
- Norah Jones: Sunrise
- Ryuichi Sakamoto: Merry Christmas Mr. Lawrence
- Linda Perry: Beautiful
- Joni Mitchell: Both Sides Now
- Gregor Meyle: Du bist das Licht

Daneben stellt er eigene Kompositionen wie das faszinierende „In a Constant Stat of Flux" oder das lebendige „Driving Down to Scarborough", die Fingerstyle Fans gleichermaßen begeistern werden. - Eine exquisite Sammlung eleganter Fingerstyle Pop Songs.

Ulli Bögershausen/Franco Morone

10 Duets for Fingerstyle Guitars

Noten und Tabulaturen, 84 Seiten,
Deutsch/Englisch, mit Begleit-CD
AMB 3099 · 22,90 €

Arrangements beliebter Evergreens wie *The Entertainer* oder *Scarborough Fair* sowie eigene Duo-Kompositionen haben die beiden Fingerstyle-Meister speziell für diese Ausgabe verfasst und auf der Begleit-CD eingespielt. Das Ergebnis sind musikalisch faszinierende, spielfreudige Stücke, die für geübte Spieler trotzdem gut zu bewältigen sind. Darüber hinaus ist die Zusammenstellung stilistisch abwechslungsreich und reicht von Ballade über Folk und Ragtime bis zum Blues.
Die Stücke eignen sich hervorragend für Workshops, und selbst wer keinen Duo-Partner hat, kann mit Hilfe der Begleit-CD die Duos spielen. Die 10 Duets werden nicht nur die Fans der Autoren begeistern und sicherlich bald zur Standardliteratur für Fingerstyle Duos gehören.

Profi Picking leichtgemacht

Davey Grahams „Angie" in 6 Wochen
Noten und Tabulaturen
84 Seiten, mit CD
AMB 3001 · 17,90 €

In mehr als 40 Übungen und Spielstücken (im Schwierigkeitsgrad ansteigend) werden systematisch alle Spieltechniken eingeübt, die erforderlich sind, um Davey Grahams Klassiker *Angie* spielen zu können. Die verlangsamten Aufnahmen auf der beigefügten CD erleichtern das Studium. „optimaler didaktischer Aufbau" (AKUSTIK GITARRE 1/97)

Erhältlich im Musikalienhandel oder direkt bei:
Acoustic Music Books
Brommystraße 64 · 26384 Wilhelmshaven
Tel. 0 44 21-9 83 93 70 · Fax: 0 44 21-9 83 93 01
E-Mail: info@acoustic-music-books.de
www.acoustic-music-books.de

Preisänderungen, Lieferbarkeit und Irrtum jederzeit vorbehalten. Stand: 15.07.2018